新潮文庫

陽だまりの彼女

越谷オサム著

新潮社版

9200

陽だまりの彼女

1

何度確かめても、受け取った名刺には「渡来真緒《わたらいまお》」とある。

マナー違反であることはわかっていたが、僕は名刺に印刷された名前とテーブルの向こうの人物の顔を繰り返し見比べてしまった。

相手も目を丸くし、こちらをまっすぐに見つめ返してくる。その眼差《まなざ》しは、落ち葉が舞う公園でのちょっとした事件の際に見せたものと、そっくり同じだった。

やっぱり、真緒だ。あの渡来真緒だ。

「あの、ひょっとして、鎌ヶ谷西中の――」

「はい、渡来です。こう――奥田くんだよね？」

僕の名刺を持った手を胸元に当て、もう片方の手で僕を指差す。どこかせわしない
その仕草はまさしくあの真緒だが、右手の指には銀色のシンプルなリングが嵌《は》められ

ている。あの幼かった真緒が指輪をしているのは不思議な気がする。

「あれ？　お知り合い、ですか」

僕のとなりの席で、先輩の田中さんが営業用スマイルを顔に貼《は》りつけたまま尋ねる。

「ええ、中学時代の同級生です。――すみません、びっくりしちゃって」真緒は照れ笑いを浮かべ、指先で目尻《めじり》を拭《ぬぐ》った。「奥田くんは三年生の一学期いっぱいで転校してしまったんですけど、それまではよく勉強を教えてもらったりしていました」

微笑を浮かべてそつなく答える姿は、「学年有数のバカ」と謳《うた》われた十年前の真緒とは結びつけにくい。しかも、髪形がだいぶ変化していた。いつ見ても「切りたて」というイメージだったショートヘアが今は肩の下まで伸び、ゆるやかなウェーブを描いている。

「はあーっ」奥の席で部長が大げさにのけぞり、くだけた雰囲気を演出しようとこれまた大げさに両手を広げた。「奥田に勉強を教わったんですか。それはそれは、お気の毒です」

「はい」

真緒は苦笑しながら頷《うなず》き、僕の顔をちらっと窺《うかが》った。悪戯《いたずら》っぽい眼差しはあの頃そのままだ。

田中さんが部長の言葉を引き継ぐ。

「それにしてもすごい偶然ですね、中学の同級生ですか。これはもう、御社とウチと、何か特別なご縁でもあるんじゃないかと。いや、こんな風に言うのはいやらしすぎますね、ワハハハハ」

上司による無言の強要を受け、僕も愛想笑いをした。僕と斜向《はすむ》かいの、梶尾という名の四十歳前後の女性もつられて笑っている。こちらの名刺には「広報部　部長」とある。梶尾部長の下座で微笑《ほほえ》む真緒と、部長たちに連れてこられた僕。メーカーの広報と交通広告代理店の営業という職種の違いこそあれ、立場は似たようなものなのだろう。いわゆる「お供の若手」というやつだ。

「で、そうでした、お仕事の話をしないと」

雑談がひと段落ついたところで、部長の言葉をきっかけに僕はブリーフケースから書類を取り出した。

配られた書類に丹念に目を通す真緒の眼差しは真剣で、放課後の教室で計算問題の解き方を教えてやったあの頃と自然と重なった。というとまるで僕が秀才かガリ勉のようだが、実態はちがう。真緒がとてつもなく頭の悪い生徒だったのだ。中学生のくせに分数の割り算レベルで四苦八苦する真緒を、相対的に勉強ができる立場の僕がちょっと手助けしたまでのことだ。

わかるのかな。

相手が近年成長著しい準大手ランジェリー・メーカー、「ララ・オロール」の社員であることは承知しているが、ついそんな心配をしてしまう。

書類には、都内主要駅構内での広告掲出に関する数字やグラフがたくさん盛り込まれている。一日あたりの乗降客数とその男女比、年齢構成といったデータをもとに、各種アンケート結果などから「ララ・オロール」の主力購買層である二十代女性への広告の浸透効果をシミュレートしたもので、作成者は僕だ。

昨夜の十時半までかけて会社の端末と格闘しながら仕上げた自信作ではあるが、真緒に理解できるのだろうか。

「えー、このページの試算では、一例として御社のユーザー様になじみが深いと思われる渋谷駅を取り上げております。ご覧のとおり渋谷や表参道、銀座などははっきり申しまして値が張ります。高いです。なんでこんなに高いのって、お客様に真顔で訊《き》かれることもしばしばですハイ。もちろん、値が張るのにはそれ相応の理由がありまして」

コンペで競合他社を何度も打ち負かしてきたと自負する話術で、田中さんが説明を進める。さすが十年選手、勉強になる。相手の梶尾部長がぐっと引き込まれていくのが表情でわかる。が、一方の真緒は不思議そうな顔をして書類をめくるばかりだ。大丈夫なのか？

「——と、このA・B・C三社いずれも、ブランドの認知度は大幅に……ん？」

ページをめくると、二桁《けた》の伸びを示しているはずの数字がなぜか極端なマイナスになっていた。

「ええと、ちょっとお待ちください」

田中さんと部長が、書類を作った僕に視線を投げかけてくる。クライアントの手前もあって二人とも口元に笑みを浮かべてはいるが、目は鬼のようだ。

僕は電卓を取り出し、急いでキーを叩《たた》いた。やはり、考えられない数字が出る。明るく広々とした応接室の空気が、じわりと重くなる。

どうしよう、どうしようと頭の中でわめいていると、真緒がそっと切り出してきた。

「あの、二ページ前のここなんですが——」

書類をくるりと回し、真緒は表の数字を指し示した。白いブラウスにかかった髪が、するんと滑り落ちる。それだけのことで僕はドキッとしてしまった。

こちらの反応を窺いながら、真緒が遠慮がちに説明する。

「たぶんですけどこれ、小数点がひとつずれているんじゃないかと思うんですが。それで結果も変わってしまったとか」

「あ」

言われて初めて、ミスに気づいた。計算しなおすと想定どおりの数字になった。なんてことだ、あの真緒に計算を教えられてしまった。

これをきっかけにすっかり相手にペースを握られてしまい、田中さんと部長はしばらくの間しどろもどろになってしまった。きっと、ビルの外に出たら田中さんに頭をひっぱたかれるだろう。やっぱり今朝もう一回見直しておくべきだった。

見積書ではないのだし、ミス自体は些細《ささい》なものだったが、新規のクライアントとの顔合わせの場でいきなり失態を演じてしまうのはなんともばつが悪い。憑《つ》かれたように調子のいい言葉を並べ立てて失点を挽回《ばんかい》しようとする田中さんのそばで、僕はときおり「そうですね」や「いいと思います」のようなどうでもいい言葉を繰り返すばかりになってしまった。機先を制せられたということもあるが、なにより十五歳だった真緒が二十五歳になって現れたことに、心底面食らってしまっていたのだ。これでは交渉どころではない。

いや、正直に言おう。こんなことがなくても、お供の若手である僕には「そうですね」と「いいと思います」くらいしか言うことがない。入社二年目なら、誰だってこんなもんだろう。

そう思いたいのだが、向かいに座る真緒は僕とは様子がちがう。

「ええ、ですから渋谷とか原宿の駅に広告何枚出したらブラ何枚売れるかなとか、そういうことではないんです。鉄道会社の審査うんぬん以前の話として、駅構内に裸同然のモデルの写真ずらっと並べるわけにもいかないですし。……やってみたいんですけど」ときおり笑顔を交え、真緒は話を続ける。「ともかく今回は、『ララ・オロール』という会社の名前を、ぼんやりとでもいいからカスタマー以外の人たちに憶《おぼ》えてもらいたいんです。ちょっと生々しい話をすれば、パートナーの男性によるプレゼント需要を当て込んでいたりもするわけですけど。まあ、そのあたりのソロバン勘定は別としても、弊社も最近ようやくイメージ広告が打てるくらいには体力もついてきましたので、このあたりで少し偉そうなこともやりたいなと、鼻息を荒くしている次第でして」

なんてことだ、あの真緒がじつに要領よく話をしている。となりの梶尾部長もときおり補足説明を入れるくらいで、基本的に真緒にまかせきりだ。田中さんや部長までも身を乗り出して話を聞いているではないか。ただの「お供の若手」だと思っていたのに真緒、いつの間にそんなに「できる人」になってしまったんだ。

あのチビで、いじめられっ子で、注意力が散漫で、すばしっこさだけが取り柄だった真緒が、さらに言うなら、僕が不遇の中学時代を過ごす元凶でもあった真緒が、なんだかとんでもなく成長して再び僕の前に姿を現した。えらいことだ。

＊

真緒が僕のクラスに転校してきたのは十二年前、中学一年の二学期の始業日のことだった。

「私、わたらいまお」

休み時間に真緒は僕の前にやってきて、真面目《まじめ》くさった顔でそれだけ告げると自分の席に戻っていった。

僕には、「はあ」とだけ答えた記憶がある。ともかく、変な奴《やつ》だという印象は強く残った。

小柄で愛らしい顔だちの真緒は、性格の素直さもあって初めのうちは皆の人気者だった。——初めのうちは、だ。

けちのつき始めは、漢字の小テストだった。もう十年あまり前のことなので細かいところまでは憶えていないが、彼女はそれはそれはひどい点数を取った。十点満点で一点か、あるいは〇点だったか。とにかく、ひどかった。

すこぶるつきのバカであることが判明した次は、その気まぐれな性格が不評を買った。

真緒は、学校生活に不可欠な団体行動が苦手だった。「周囲と協力する」という当たり前のことが、彼女には苦行だったらしい。

その特性が一日に凝縮されたのが体育祭だった。まず、入場行進で足並みを揃《そろ》えることができなかった。徒競走では見事に一位を獲得したものの、活躍はそれきりだった。真緒が組み入れられたムカデ競走のチームはわずか五〇メートルのコースを途中リタイアし、組体操の扇は開いたとたんに崩壊した。

そうしてメッキが次々に剝《は》がれていった結果、「真緒いじめ」が始まった。

上履きが消え、濡《ぬ》れた雑巾《ぞうきん》が机の中に押し込まれ、体育祭のときに撮影された写真の目の部分にはコンパスで穴を開けられた。クラスでの真緒への対応は、大きく二つに分かれた。いじめるか、それをそそのかすかだ。

また、教師たちの中にも真緒の劣っている点を利用する者がいた。授業を盛り上げるための「オチ」に真緒を使うのだ。

「そう、『A of B』で『BのA』と訳すんだったな。もう、ここまではバカでもわかるな。じゃあ渡来、『BのA』を英語に訳すと？」

「わかりません」

クラス中が爆笑する。教師と一緒に。かくして教室には一体感が生まれ、授業はつつがなく進行する。

そういう日々がずっと続いていたのだが、年が明けてしばらく経《た》ったある日、ついに堪忍袋《かんにんぶくろ》の緒が切れてしまった。といっても真緒の堪忍袋ではなく、僕のだ。

「真緒って、髪だけはきれいだよねえ」

潮田《うしおだ》という女子生徒が、そう褒めながら真緒のショートヘアを撫《な》でている。一見仲《なか》睦《むつ》まじげな光景だったが、その手の中には給食で出されたマーガリンがあった。ひと撫でごとに真緒の髪は不自然な光沢を増し、潮田は取り巻きたちと目配せしあってニヤニヤ笑っていた。

ひどい仕打ちを受けているというのに、真緒はされるがままにしていた。善意で髪を撫でてくれているのだと思い込んでいるらしい。

バカな真緒は、こういうことを学習できない。何度もいじめられてきたのだから、相手が底意地の悪い奴だということは知っているはずなのに、撫でられただけでいいともたやすく心を許してしまうのだ。

「いいかげんにしろよ！」

本人に聞こえるくらいの音量で囁《ささや》くつもりだった声は、教室中に響き渡ってしまった。溜《た》め込みすぎた憤慨を、十三歳の僕は抑えきることができなかった。

髪を撫でていた潮田が、こちらを振り向く。

「……いいかげんにしろよ」

僕は俯《うつむ》き、口を尖《とが》らせて同じ台詞《せりふ》を繰り返した。取り巻きたちと顔を見合わせると、潮田は醜い顔をいっそう醜く歪《ゆが》めてせせら笑った。

「ハア？　なに？　正義の味方ぁ？」

あれこそがいわゆる「カッとなる」というやつなのだろう。

僕は潮田の手からマーガリンを奪い取り、髪といわず顔といわずたっぷり塗りたくってやった。

しばらくの間、相手は何が起こったかわからない様子だった。そして僕も、そうだった。指の隙間《すきま》から押し出されるマーガリンの生温かさと銀紙のギシギシした感触だけは、今でもよく憶えている。

やがて潮田は「ギィー、ヤーッ」と怪鳥のような悲鳴を発し、廊下に飛び出していった。

そしてどういうわけか、悪いのは僕、ということになった。

僕は母親と一緒に職員室で頭を下げ、校長室で頭を下げ、潮田の自宅の玄関先で頭を下げた。

理不尽だ、と思った。大人たちに事実を訴えたかった。しかし、蒼白《そうはく》になって繰り返し頭を下げる母の姿を見て、何も言えなくなってしまった。

「まあ、思春期にはままあることですから。そうご心配なさらずに。私どもも浩介《こうすけ》君を注意深く見守ってまいりますので」

担任はそう言って母をなだめた。

おそらく担任は、実情を薄々知ってはいたのだろう。なぜなら、教室には髪をてらてら光らせた真緒がいるのだから。

担任が真緒の髪に気づかなかったふりをした理由が、今ならなんとなくわかる。早い話が、大ごとにしたくなかったのだ。マーガリン事件をクラス全体が関わるいじめ問題の一角としてではなく、一人の生徒の「ご乱心」で処理したかったのだ。

ともあれ、その日を境に僕を下の名前で呼ぶ者は真緒一人だけになった。僕は「キレると何をするかわからない」危険人物と見なされた。

それまでは仲が良くて、暇さえあれば東北・上越新幹線のE1系がどうこうという話をしていた奴らが、とたんに腫《は》れ物に触るような態度をとるようになった。また、家に戻れば鰯《いわし》の丸干しやちりめんじゃこが食卓に並ぶようになった。「キレる子にはカルシウムを」ということらしい。

やがて、真緒に関する奇妙な噂《うわさ》が、どこからともなく伝わってきた。

＊

「ララ・オロール」のB1判ポスターが駅構内に掲出される頃には、真緒とやりとりするメールから時候の挨拶《あいさつ》や他人行儀のくどい言い回しは消えていた。仕事で掛ける電話からは仕事以外の話の割合が増え、携帯電話が鳴る時間帯は日中から夜に変わった。

「どこのどなたと会うのか知らないけどな、もし仮に相手がこれからも付き合ってくクライアント様だったとしたら、まちがっても機嫌損ねんなよ」

真緒に会うとはひと言も口にしていないのに、ジャケットを羽織る僕に田中さんは釘《くぎ》を刺してきた。鋭い。

七時すぎに西新宿の会社を脱出し、山手線に乗って渋谷に向かう。代々木、原宿と進むうちに革靴の中がムズムズしてきた。痒《かゆ》いのではない。緊張しているのだ。真緒に会うだけのことなのに、あきらかに緊張している自分がいる。

内ポケットの携帯電話が振動した。会社からの呼び戻しかと一瞬ひやりとしたが、振動したのは二台あるうちのプライベートで持っている方の端末だった。ほっと息をつく。受信したメールは真緒からのもので、もうすでに渋谷に到着しているという内容だった。

はじめ、待ち合わせ場所として考えていたのはJRの渋谷駅だった。ハチ公改札から東口方面へと続く通路に「ララ・オロール」のポスターがずらりと並べられているので、そのあたりで会うのも悪くないんじゃないかと思っていたのだ。というのも、自分の手がけた仕事が広告という目に見える形で示されると、クライアントの担当者はほぼ例外なくご機嫌になるからだ。

これが交通広告を手がける中堅代理店の「お供の若手」を一年半やってきて得た知識のひとつだが、そこだけは避けようと真緒に言われて考え直した。「ララ・オロール」のほかの関係者が広告を見に来る可能性があったからだ。退社後の行動が制限されているわけではないが、取引先の担当者同士がプライベートで会っているところを見られるのはけっして都合のいいことではない。そのあたりまで冷静に頭が働くのだから、真緒も成長したものだ。一方の僕は、たいして成長していないということか。

駅から溢《あふ》れる人の波に乗って、センター街を進む。スクランブル交差点には初秋の心地よい風が吹いていたが、音と光と人いきれが充満するこの通りにはまだ夏が残っている。

待ち合わせ場所である大型レコード店の五階に、真緒は先に来ていた。近づいていく僕の姿に気づく様子もなく、試聴用のヘッドホンでオペラか何かを聴いている。

音楽に耳を傾ける横顔には、十年前にはまったく感じられなかった知性と落ち着きが漂っていた。もっとも、待ち合わせ場所がクラシックのフロアだったことから「クラシック・イコール・洗練」という僕の先入観が働いただけかもしれないが。

僕はあえて声をかけず、少し離れた場所からその横顔をしばらく眺めた。中学生ということを差し引いても小柄で子供っぽかったのに、すっかり美しくなってしまった。真緒が過ごしてきたこの十年を思うと、近くにいなかったことが悔やまれる。

「あ、おーい」

僕を見つけた真緒が、ヘッドホンをしたまま手を振ってきた。ピアノ曲が静かに流れるフロアには不相応に声がでかい。知性と落ち着き、台無し。

周りの客がぎょっとするのに気づき、恥ずかしそうに身を縮める。このあたりのそそっかしさはあの頃のままだ。

逃げるように店を出て、僕たちは騒々しいセンター街を奥へと進んだ。

打ち合わせや広告掲出の初日にも真緒とは顔を合わせているが、仕事を離れて会うのはこれが初めてだ。だから当然、真緒と食事をするのも初めてということになる。学校給食を除けばだが。

「で、なぜステーキ？」

となりを歩く真緒に、僕は尋ねた。きのうの電話で真緒が指定してきたのが、オージー・スタイルのステーキレストランだった。

「だって、『どこでもいいよ』って、奥田くん言ったでしょ。だからステーキ。肉食べたい」

自分の欲求に極めて素直なところは、当時と少しも変わっていない。

たしかにどこでもいいとは言ったが、ステーキはパワフルすぎるんじゃないだろうか。初めての食事だったらイタリアンあたりの方が無難なのではないかと僕は思うのだが、真緒の意見はちがうらしい。

「会社の子たちと行くお店って、『低カロリー』とか『オーガニック』とか、そんなお上品な感じの店がどうしても多くなっちゃうんだけど、そういうのはもう飽きちゃったし、たまには食いでのあるのが食べたくて。だからほら、今日はスーツじゃないでしょ。匂《にお》いがついてもいいやつ着てきたの」

真緒はそう言ってデニムジャケットの襟を得意げにつまんでみせた。今夜も相手のペースになりそうだ。


「では、どうもどうもお疲れ様でした」

グラスを合わせ、なかなか見事な飲みっぷりで真緒はワインを喉《のど》に流し込んだ。

「ふうー」

唇を心もち突き出し、脱力した笑顔を浮かべる。田中さんは「五年後がおそろしい、タフな女だ」と評していたが、この力の抜け具合こそが、本来の真緒の表情なのだ。彼女がランジェリー・メーカーの広報から本来の渡来真緒に戻っていくのが、僕には手に取るようにわかった。なぜなら、背中が丸まっているからだ。中学のときから変わらぬ、くつろいでいるときにだけ見せる姿勢だった。

「本当に、おつかれ」

僕はもう一度、ねぎらいの言葉をかけた。僕が窮屈な思いで「お供の若手」をやっているように、真緒も苦労して「タフな女」を装《よそお》っているのだろう。同情するし、ちょっと尊敬もしてしまう。

「疲れたのも疲れたけど、それよりおなか空《す》いた」

グラスを置き、真緒は手をおなかに当てた。

「そんなに？」

「だって、ステーキ食べるからと思ってお昼抜いてきたから。そしたらもう、午後がしんどくてしんどくて」

尊敬した自分がバカみたいだ。

僕は笑いを押し殺し、ハニーブレッドを口に放り込んだ。

アペタイザー代わりのサラダが運ばれてくると、真緒は僕よりも先に、何気ない様子で腰を浮かせてそれぞれの皿に取り分けた。音もなく、といった感じのその動作は、社会人としての基礎がしっかり身についていることを感じさせた。給食のお椀《わん》をひっくり返してはクラスメイトたちから罵声《ばせい》を浴びせられていた中学時代を思えば、驚異的な成長だ。

「何か、おかしい？」

真緒に尋ねられ、僕は「いや」と手を振り、それから思い直して言った。

「同い年のおれが言うのも変だけど、成長したよね、真緒——渡来さん」

「会社の外では真緒でもいいよ。中学の頃はみんなそう呼んでいたし」

サラダを口に運びながら答える真緒の口調は、あまり愉快そうなものではなかった。

そうだった。僕たちの中学校では、男子生徒は女子のことを苗字《みょうじ》の呼び捨てで呼ぶのが普通だったが、彼女のことだけは男子も「渡来」ではなく「真緒」と呼んでいたのだ。自分たちより下とみなしていたからこそ、気軽に名前を呼べたのだろう。「また真緒だよ」や「真緒のせいで」という言い回しが、僕の耳の奥にもまだ残っている。その呼び方に蔑《さげす》みのニュアンスが込められていたのを、真緒は敏感に感じ取っていたのだ。

「ああ、なんか、ごめん」

けっして楽しいものではない時代を思い出させてしまったことを、僕は早口で詫《わ》びた。

「え、べつに気にしないで。いまさら苗字で呼ばれてもくすぐったいし、仕事で会ってるみたいで堅苦しくなるから。ね、『浩介』」

唐突に名前を呼ばれて動揺し、サラダをつつくフォークが皿に当たってカチンと鳴った。

僕の様子を観察し、真緒はしてやったりという顔で笑った。まったく、コロコロと表情が変わる。

真緒は中学校の誰からも真緒と呼ばれていたが、僕を名前で呼ぶのは真緒ひとりだけだった。あの「マーガリン事件」以降は。

あの頃は、真緒から「浩介」と呼ばれるたびに、僕は「苗字で呼べよ」と口を尖《とが》らせていた。どうして名前を呼んではいけないのかわからないらしい真緒は寂しげな表情で頷《うなず》き、「わかった、浩介」と答えたものだ。ぜんぜん、わかってなかった。

僕たちはいつも一緒にいたけれど、付き合っていたというわけではない。だが、どんなに冷たい態度をとっても、真緒は僕にまとわりついてきた。

「勉強したよ」

真緒が出し抜けにそう言った。一瞬、広告掲出費のことかと思った。勉強させられたのはうちの会社の方だと思ったが、そういうことではなく、僕が言った「成長した」という言葉への答えらしかった。

「中学の頃から勉強はしていたけど、高校入ってからはもう、輪をかけて。毎日四時間がノルマだったかな。そのおかげで、一年生が終わる頃には学年でトップになってた」

「すごいじゃん」

「バカ高校だもん」

聞けば、真緒が進学したのは鎌ヶ谷から電車で十五分ほどの、中の下レベルの県立高校だった。しかし会ったばかりの頃を思えば、そこに合格できたことさえも奇跡に近かった。

周囲からどんなに頭のトロさを嘲笑《あざわら》われても、真緒は一生懸命ノートをとっていた。授業が終わってもなかなかノートに写しきれず、意地の悪いクラスメイトたちに黒板の文字を消されてしまうこともたびたびだった。

そういうとき、真緒はきまってこちらに歩み寄ってきて「浩介、ノート写させて」と頼んでくるのだった。遠巻きにこちらを見てニヤニヤしているクラスメイトたちの目を、スーツを着て会社に通う歳《とし》になっても僕はまだ忘れていない。

しかし、彼女の努力はこうして大きく実った。何か手助けができたわけではないけれど、僕まで報われた気分だ。

真緒は続けた。

「でも、勉強ができるっていうのは、学校社会では最大の武器になるね。誰からもからかわれなくなったし、対等に付き合える友達をたくさん作れたもん」

「じゃあ、楽しかったんだ」

「うん、楽しかった」一拍置いてから、真緒は続けた。「でも、おでこくっつけるようにして熱心に分数の割り算教えてくれる人は、作れなかった」

僕は返答に迷い、言葉を探そうと視線を外した。だが、スポットライトが当てられた壁のブーメランを見ても、解答例は書かれていない。

静かになりかけたテーブルに、ステーキが運ばれてきた。

「わー」

真緒の口の中で発せられた感嘆の声が、黙りこくっていた僕の耳に届いた。彼女の目は僕ではなく皿の上の肉塊だけを見つめており、その輝きはまるで子供のようだった。

これぞ真緒だ。たとえ教師に怒鳴られていても、目の前を蝶《ちょう》が横切ればそちらに意識を持っていかれてしまう。おかげで中学時代は何度もイライラさせられたが、僕は真緒のこういう極端な素直さがけっして嫌いではなかった。

一歩踏み込んだ会話になりかけた気がするのだが、真緒の注意は完全にステーキに奪われてしまったようだ。ほっとしたような、少し残念なような。

ほどよく噛《か》みごたえのある肉は満足できる味だったが、いかんせん量が多い。空腹にまかせて二八〇グラムのカットを注文したのは失敗だった。しかも、付け合わせのマッシュポテトや温野菜もじつに大陸的な量で、先に頼んだサラダやついついおかわりしてしまったハニーブレッドと徒党を組んで胃袋を内側から押し広げる。真緒に倣《なら》って小さめのカットを頼めばよかった。

中学時代の話を掘り下げるべきか、あるいは初デートでの深入りは避けるべきかと迷う僕の耳を、洋楽のＢＧＭが右から左へと通り抜けていく。黙っているのもまずいので流れている曲の話題でもきっかけにしたいところだが、悲しいかな僕は音楽に疎《うと》いので曲名を知らない。

「で」ステーキを頬張りながら、真緒の方から話しかけてきてくれた。「こう――奥田くんはどうだったの？　転校後は」

僕には、とりたてて話題にできるようなトピックはなかった。中学三年の夏にとなり町の松戸の中学校に転校し、翌年に特色のない県立高校に入学し、卒業し、一浪し、凡人の努力でもなんとかなるレベルの多摩の大学に合格し、同時に高幡不動《たかはたふどう》で一人暮らしを始め、ギリギリの成績ではあったが四年で卒業した。そして、これといった覚悟もなく入社試験を受けた交通広告代理店「日本レイルアド社」に就職し、上井草のワンルームマンションに移った。

同じ時間を過ごした友人たちとなら「あのときお前が酔っ払って」なんて話で盛り

上がれるのだが、そうでない第三者が聞いて楽しめるネタは、とくに持っていない。思えば、不遇の中学時代こそが僕にとってはいちばん中身の濃い時間だったのかもしれない。

「どうしたの？」

肉を切る手が止まっているのを見て、真緒が尋ねてきた。

「ん？　いや、つい我が半生を振り返ってしまった」

「それで？」

「劇的な展開はひとつもなかった」

「あらー」

真緒はどことなくうれしそうに笑った。きれいだ、と思った。肉食ってるのに。

考えてみれば、中学時代の同級生という気安さがあるからこうして当たり前のようにテーブルを囲んで笑っていられるのだろう。そうでなければ、この美しい女性を前に僕は緊張しきっているはずだ。それ以前に、彼女を食事に誘えたかどうかもわからない。

だから、僕はずるいのかもしれない。

偶然再会したのをいいことに食事に誘い、僕は彼女との距離を縮めたがっている。

仕事上の付き合い以上の関係を持ちたいと望んでいる。

自惚《うぬぼ》れているわけではないが、中学時代の真緒が僕のことを好きだったのはまずまちがいない。彼女はいつでも僕のあとを追いかけてきたし、自分から声をかける男子生徒は僕だけだった。「愛情」と呼べるほど確固たるものではなかったかもしれないが、少なくとも好意は寄せてくれていた。そして僕も、真緒のことが好きだった。

だが、僕が彼女の好意に応《こた》えることはなかった。恥ずかしかったからだ。いじめられっ子の真緒と一緒にされるのが嫌だったからだ。

それが、相手が美しく成長していると知ったとたんに手のひらを返して擦り寄っていくなんて、虫がよすぎるのではないか。

「こうす——もう、浩介でいいか。浩介がいま何考えてるか、当ててみせようか」

真緒が、こちらの心の奥底まで見通すような眼差《まなざ》しで僕を見ている。

「え?」

「『最近、地元帰ってないなー』、でしょ?」

ぜんぜんちがう。

自信たっぷりに見当ちがいのことを言う真緒がおかしくて、僕は声を立てて笑ってしまった。

「真緒って、変わってないなあ」

「え、なに。中学生みたいだってこと？」

こちらを睨《にら》んでくる。

もし再会したのが、あの頃のバカな真緒のままだったとしたらどうだろう。

それはそれで、喜んでいた気もする。突飛な行動に冷や冷やしながらも、やはり
「変わってないなあ」などと言いながらこうして一緒に食事をしていたかもしれない。

そんなことを思いながら、僕はやっとの思いでステーキを平らげた。肉体の何パーセントかが牛になった気分だ。しばらく、肉は見たくもない。

「おいしかったね」

少し遅れて、真緒もナイフとフォークを置いた。皿の上にはおよそ二口分、きれいに切り分けられた肉が残っている。

こちらの視線に気づいた真緒が、「食べる？」と皿を差し出してきた。欲しがっていると勘違いされたようだ。

正直、腹ははちきれそうだ。だけど、断ってしまうのはなんとなくもったいないし、男が廃《すた》るという気もする。

待ってましたという顔を繕って、僕はフォークを手に取った。

食べきれない量を注文するなよとも思ったが、考えてみれば真緒のオーダーはこの店の最小サイズだ。それでも真緒には多すぎるらしい。

そうだった。真緒は小食だったのだ。

給食の最後のひと口がどうしても食べられず、昼休みの教室で真緒は毎日のように担任と我慢比べをしていた。「食べろ」と「やだ」の勝負は、毎回時間切れに終わった。

「あー、おなかいっぱい」

真緒が、心から幸せそうな顔で椅子《いす》に深くもたれた。

「よかったね」

教師から食べ残しを咎《とが》められる心配もなくステーキを堪能《たんのう》できた真緒を祝福し、僕はとどめの肉片を嚙みしめた。今夜、うつ伏せでは寝られそうにもない。

皿が片付けられる際に、僕たちは飲み物を注文した。腹が膨れているので店を変えるのは億劫《おっくう》だし、かといってこのまままっすぐ帰るのは惜しい。もう少し、真緒と話していたかった。

「でね、白身魚のフライというのを注文したの。それなら軽く食べられると思うでしょ」料理の量の話から、話題は真緒が女子大の卒業旅行で訪れたハワイでの出来事に移っていた。「そしたら出てきたのが、こーんな巨大魚の姿揚げ。頭と尻尾《しっぽ》はみ出させて、お皿の上で魚が啖呵《たんか》切ってるの。『食いきれるもんなら食ってみろ』って」

「アメリカだなあ」

「ね。それで、四人がかりでなんとか半身だけ食べた頃、真っ赤なロブスターがどーんと運ばれてきて。私たちの顔見て、ウェイターがにやっと笑ってウインクしていった」

「アメリカだなあ」

とりとめのない、言ってしまえばどうでもいい話だ。だが、聞いていて楽しかった。

中学の頃と比べるといくらか低くなったが、真緒の声質そのものは当時と変わっていない。人の耳をそっとくすぐるような声だ。

中学の同級生の話題には、真緒は自分からは触れたがらない。高校の同級生についても、好意的ではあってもどこか距離を置いたような話し方をする。だが、大学時代の出来事や友人たちについては、真緒は心から愉快そうに語った。

口ぶりの変化は、彼女の人生が明るい方向に進んでいることを証明しているようだった。いまの真緒がとても魅力的に見えるのも、環境の変化と、その環境を努力で手に入れた自信が根底にあるのかもしれない。返す返すも、彼女の十年間に寄り添えなかったことが悔やまれる。

それならば、いまからでも寄り添うことはできないだろうか。

心の中で、本音がぽろりと出た。きっと、カクテルの酔いのせいだ。久しぶりに飲んだモスコミュールが、十年前と現在の真緒と僕をぐるぐるかき回してしまったのにちがいない。

思えば僕の十年間は、概してつまらないものだった。人並みの高校生活、人並みの大学生活、人並みの社会人生活を送ることにあくせくし、「人並み」の枠からはみ出さないように注意深く過ごしてきた。真緒のように高みに向かってぐいぐいと登っていくような生き方はできなかった。もっとも、僕がそうなった原因は真緒にあるのだが、小鳥の水飲みのように少しずつワインを口に含む彼女にどこまでその自覚があるのかは、わからない。

「浩介はどうだった?」

「え?」

「だから、卒業旅行の話。鉄道研究会の仲間と鈍行列車三昧《ざんまい》だったんでしょ?」

そんなことまで口走っていたか。いかん、話した覚えがない。自覚以上に酔いが回ってきているらしい。

「話、聞いてなかった？」真緒がこちらの目を覗《のぞ》き込んでくる。「なにか、心配ごとかあるの？　考え込んでるみたいだけど」

「いや、そうじゃないけど」

「じゃあまた、半生を振り返ってしまっていた？」

「……まあ、そんなとこ」

「それで？」

また、まっすぐに覗き込んでいる。仕事で会うときは常に鋭い真緒の目だが、こうして見ると意外に丸く、子供っぽい。彼女の虹彩《こうさい》が茶色味を帯びていることを、僕は今日初めて知った。

中学時代の僕は真緒と毎日顔を合わせていたくせに、ほとんど何も見ていなかったのだろう。真緒に頼られるのが照れくさくて、恥ずかしくて、人目を気にして、僕はいつもそっぽを向いていた。

やけに甘く感じられるモスコミュールをひと口啜《すす》り、僕は答えた。

「この十年は、あんまり楽しくはなかった」ちょっと、声が上ずってしまった。「やっぱり、分数の割り算を教える相手がいなかったから」

真緒が、自分の顔を指差している。

頷《うなず》くと、真緒は「いやー、恐縮です」と言って体をくねらせた。

十年も凍結されていた思いが、僕の中でゆっくりと溶けはじめていた。

＊

「真緒が夜中の住宅街を裸で歩いていた」

そんなとんでもない噂《うわさ》を耳にしたのは、中学二年生になってすぐのことだった。

進級に伴ってクラス替えがあったのだが、幸か不幸か僕と真緒はまた一緒のクラスになった。もっとも、教室の顔ぶれが変わったところで境遇にさして変化はなく、僕らはセットで不遇の中学時代を送っていた。真緒はいじめられ、僕は怖れられた。

真緒の噂について僕は、そんな馬鹿《ばか》なことがあるわけないと歯牙《しが》にもかけなかった。少なくとも、表向きはそういう態度をとった。

無視を決めこんでいると噂には尾ひれがつき、より直截《ちょくせつ》的で侮辱的な方向に膨らんでいった。おそらく、「裸」という刺激的なキーワードから連想されたものだろう。

クラスの何人かからは、本人に聞いてみろとそそのかされた。だが、僕は真相を確かめることはしなかった。どうせ潮田あたりが流した出鱈目《でたらめ》だろうと思っていたし、本人の口から聞く勇気がなかったという理由もある。

真緒なら「うん。裸で歩いたことあるよ」とあっさり認めてしまうのではないかと、僕には不安だったのだ。そのくらいのことならやりかねないと思わせる危うい気配が真緒にはあって、それゆえに僕は目が離せずにいた。

「あ、こうすけー」

廊下でも通学路でも、真緒は僕を見つけると条件反射のように駆け寄ってきた。セーラー服のリボンをなびかせ、あっという間に僕の目の前までやってくる。速い。

「マーガリン事件」以来、真緒はそれまで以上に僕になついてしまった。そう、その態度はまさに「なつく」という表現がぴったりくるものだった。

「なあ、苗字《みょうじ》で呼べって言ってんだろ」

「うん、わかった。浩介」

不本意ながら、このやりとりが日課となってしまった。

「で、なんの用？」

「えーっと、用はない」

そう言ってニコニコしている。これもまた、日課だった。

バカで露出癖の噂まである転校生と、キレると何をするかわからない危険人物。こんな二人の周囲から、囁《ささや》き声や嘲笑《ちょうしょう》が消えることはなかった。

真緒がいじめられるのは、わからなくもない。協調性はきわめて低いし、わがままだし、気が強いからちょっかいを出されるとすぐむきになる。そのくせ、致命的に頭が悪い。誰かを貶《おとし》めて楽しもうと虎視《こし》眈々《たんたん》と狙《ねら》っている連中にとっては格好のターゲットだろう。

だが、僕が怖れられなければならないのは納得がいかなかった。しかもその怖れられ方が「粗暴な奴《やつ》」としてではなく、「薄気味の悪い人間」としてというのが、余計に腹が立った。

きっと、僕に対する教師たちの警戒心が同級生にも伝染してしまったのだろう。ちょうど「キレる子」というのが社会問題化しはじめた時期で、教師間で僕は「キレる子を更生させるためのモデルケース」にさせられてしまったのだった。

また、僕自身の立ち回り方もまずかった。普段からよく悪戯《いたずら》をする生徒だったら、マーガリンのことも「悪ふざけが過ぎた」のひと言で片付けられたのかもしれない。あるいは自己主張の強い子供だったら口角泡を飛ばして相手の落ち度を責め、教師たちからもよくある喧嘩《けんか》のひとつとして見なされただろう。ところが僕は鉄道が好きという以外はとりたてて特徴のないおとなしいタイプであり、問題を起こしたことにしゅんとしてしまった。それが災いした。「こんなにおとなしい子が突然おそろしい暴力を」というドラマチックな展開が、教師たちを頑《かたく》なにさせてしまった。

だいたい、キレるも何も、僕は外見も内面もむしろ温厚な方なのだ。人と喧嘩になっても、どんなに頭にきてもせいぜいが胸を小突くくらいのもので血を見たことはけっしてないし、授業を妨害したことも、教師を恫喝《どうかつ》したこともない。あとにも先にもたったの一回、人の髪にマーガリンを塗っただけだ。

「パンに塗ったら怒られなかったのにね」

真緒は、こちらの神経を逆撫《さかな》でするようなことを言う。ムカッとするが、そこでキレては本当に「キレる子」になってしまうので、僕はむっつりするだけに留める。

誰のおかげでこんなことになったのかと問い詰めようにも、真緒はニコニコしているばかりで相手にならない。が、僕を避けずにいてくれるのは、真緒しかいないのだ。

教室の中ですっかり浮いた存在になってしまい、僕は会話をする相手にも事欠いた。だから必然的に、休み時間も放課後も黙りがちになる。たまに話しかけられるとびっくりしてしまい、そのしどろもどろの受け答えが相手を気味悪がらせ、ますます人を遠ざけてしまう。

唯一《ゆいいつ》の例外が、真緒だ。真緒だけが、そういう空気をまったく意に介さず僕に話しかけてくる。

真緒に頼られているようで、じつのところ僕が真緒を頼っていたのだろう。だから僕には、彼女にまつわるおかしな噂のことが心配でならなかった。

唯一の話し相手がそんな特殊な性癖の持ち主だとしたら、学校の中に安心して付き合える相手は一人もいないことになってしまう。真緒には普通の人でいてほしい。万が一噂に真実が含まれているとすれば、そんな癖はなんとしてでもやめさせたい。せめてもう少し勉強ができるようになれば、少しは常識も身につけてくれるのではないだろうか。

僕が真緒の勉強の面倒を見るようになったのには、そのような中学生なりの思惑があった。それに、僕には四つ年下の弟がおり、教えることにはそこそこ慣れていた。

あらためて見てみると、真緒はけっこうかわいい。きょろきょろとよく動く目が放つ悪戯っぽい光は人を惹《ひ》き付けるものがあるし、黒すぎてかえって青く見える髪は撫でてみたくなる。きゅっと結ばれた小さな唇なども、ついつい見とれてしまうような魅力があった。でも、バカだ。

成績優秀、容姿端麗な人間以外は却下などという極端に高い理想を持っているわけではないが、度を越した知能の低さにはどうしても気持ちが萎《な》えてしまう。

たとえば数学。真緒は掛け算や割り算の概念こそかろうじて理解していたが、問題の中に分数や小数点が含まれると、彼女の頭は沸騰《ふっとう》してしまうらしい。どうにかこうにか答えの近くまで導いてやっても、そこからがまた大変だった。

「なんで約分なんてしなくちゃいけないの？　15分の6は15分の6のままでいいでしょ？　数を小さくしても言ってることはおんなじなんでしょ？　だったら、そのままにしといてあげなよ」

そんなことを真顔で、しかも目に涙さえ溜《た》めて主張するのだ。

人影のまばらな放課後の教室。離れた席から同級生たちの失笑が聞こえてくる。

頭に血が昇るのをどうにか堪《こら》え、僕は真緒をなだめる。

「でも、数字は小さい方がすっきりするだろ」

「わかんない」

「するんだよ」

「わかんない」

開け放った窓の外を、ねずみ色のプロペラ機が横切っていく。

目の前のおバカさんを納得させる言葉はないものかと、僕は考えをめぐらせる。

「……えーっと、たとえば六時間授業より、四時間授業の方がうれしいだろ？」

「うん、うん」

「まあ、それと同じことだよ」

「そうなの?」

自信はない。さすがの真緒も疑問を覚えたらしいが、かまわず勝手に先に進む。

「とりあえず、そういうことにしておけよ。でもなんでこんな、普通の人間ならわかることがわかんないかなあ」

愚痴を漏らすと、真緒はとたんに悲しそうな顔になる。

「まあ、言ってもしょうがないか」僕はそう言ってお茶を濁し、泣かれるのをすんでのところで回避する。「じゃあ、15と6、どっちも割りきれる数字が一つだけあります。さあ、なんでしょう」

真緒は「うーん」と声に出して考え、それから答える。

「2?」

「…………」

「あ、5?」

「…………」

そういうやりとりを毎日のように続けていたのだから、僕も辛抱強かったのだと思う。

＊

ミニシアターを出た僕たちは中央通りを渡り、冷たい風に追い立てられるようにデパートの裏手にあるカフェに入った。

十月とは思えぬ寒い日だった。暖房の効いた二階席に腰を下ろすと、どちらからともなく安堵《あんど》の吐息が漏れる。レース付きのミニスカートはかわいらしいが、北風に対してはあまりに無力だ。真緒は席に着いてからもしばらく膝《ひざ》をさすっていた。

休日とはいえ、窓の下の通りを行く人々の足取りは早い。寒風に首をすくませて先を急ぐ人々を見下ろしながら飲む温かいコーヒーは、申し訳ないがじつに美味《うま》い。

「あちっ」カフェラテをひと口啜《すす》った真緒は小さく叫び、それからため息とともに言った。「あーあ。つまんない映画だった」

いや、ちょっと待て。あの映画が観《み》たいと言ったのは真緒じゃないか。有楽町でハリウッド映画を観るはずだったのに、真緒が急に予定変更したんじゃないか。

「失敗だったかなー。やっぱり大作の方が無難に面白かったかも」

「あっちにしようって自分でごねといて、それかよ」

「だって、ネットで見たトレーラーはすごく面白そうだったんだもん。もっと心躍る内容に見えたんだけどなあ。あーあ、配給会社にだまされた。わざわざ千葉の僻地《へきち》から出てきてまで観る映画じゃなかった」

聞いちゃいない。

昔から、真緒にはこういうところがある。気まぐれなのだ。ものすごい集中力で英単語の書き取りをしていたはずなのに、ノートを覗《のぞ》き込んでみるとアルファベットの羅列が途中からカエルやヒヨコの落書きに変わっていたりする。しかもその絵が中途半端《はんぱ》に上手《うま》かったりするのが、コーチ役としては余計に気に障《さわ》るのだった。

あれからずいぶん時間が経《た》ち、仕事で会うぶんにはさすがにそういう気まぐれぶりを見せることはなくなった。むしろ、ずいぶん粘り強いといっていい。とくに広告掲出料の値引きを迫ってくるときの押しの強さと思わせぶりな引き方は、下っ端営業マンの僕などが到底太刀打ちできるものではない。真緒一人のおかげで、「ララ・オロール」は我が「日本レイルアド社」にとって手ごわい得意先の一つになっている。

だからやりにくい相手なのかといえば、けっしてそうではない。たとえば「デザイナーの創意」と「広告屋の事情」に開きがあるときは、真緒が間に入って双方の妥協点を見つけようと奮闘してくれる。当たり前のことのようだが、こういう努力をしてくれないクライアントが多いのも事実だ。「宣伝部部長」「広報部オフィサー」「マーケティング部ゼネラルマネージャー」、肩書きこそ立派でも、広告屋を見つけたらあとは丸投げ、出てくる言葉といえば「なんとかしろ」の一点張り、という姿勢の担当者はいくらでもいる。そういう人たちの半分以下の給料で数十倍の働きをしてくれるのだから、「ララ・オロール」にとって真緒はいい買い物だったことだろう。

また、真緒は折衝後のメールや電話などの細かい気配りをけっして忘れない。そうやってフォローをされてしまうと、たとえかなり厳しい条件を提示されたあとであっても腹を立てにくくなる。そのせいかうちの会社の田中さんも、今やすっかり真緒ファンになってしまった。

気配りといえば、たとえばここのコーヒー代。これは真緒の支払いだ。一方、映画館の入場料は僕持ちだ。

いつの間にか、こういう変則的な割り勘が二人のルールになった。僕の持ち分がちょっと多いのも、真緒がこちらの自尊心を傷つけないように配慮してくれているからだろう。そこまで立ててくれなくてもとは思うのだが、気遣いそのものはとてもうれしい。

真緒は「冷ます」と言ってタンブラーの蓋《ふた》を外し、カフェラテに息を吹きかけながら湯気と一緒に映画への不満を沸き立たせた。こちらに関してはいっさいの気遣いなく。

「だいたい、『シンキング・オブ・ユー』って原題をわざわざ『シンキング・ユー』に変えるセンスがわからない。『オブ』を取る工夫をするくらいなら、別の邦題を考えればいいでしょ、『あなたを想《おも》うと』とか」

「うーん、それをおれに訴えられてもなあ。おれ、配給会社の人間じゃないし」

「そうだけど、でも、『シンキング・ユー』は変なんだもん。意味通じないし、カタカナだけ見たら『沈むあなた』ってだって訳せちゃうでしょ？　変でしょ？　沈んでったのは『あなた』じゃなくてあの映画そのものでしょ？」

単語一つでここまで熱く語れる真緒が、いちばん変だと思う。ただ、「of」の用法を正しく理解できるようになったのは賞賛すべきかもしれない。

もしかしたら、「ララ・オロール」の上層部を口説き落としたときもこんな具合だったのだろうか。

以前、電話連絡のついでに梶尾部長から聞いた話なのだが、交通広告の重要性を熱弁し、企画の立案から代理店選びまでをほぼ一人でやってのけたのが、真緒なのだそうだ。

『会社自体が若いので、どちらかといえば風通しは悪くない方だとは思いますけど、それでも会議であそこまで堂々と長広舌をふるう三年目は見たことないですね』

受話器の向こうで、梶尾部長はそう言って笑っていた。

そんな三年目はというと、さして熱くもなさそうなカフェラテをおそるおそる口に運んでいる。本人は気づいていないのだろうが、目が寄っている。こういうときの真緒はまったく無防備で、梶尾部長が語った会議室での勇姿とはまるで結びつかない。

高校生の真緒、大学生の真緒も、きっとこんな風に寄り目でカフェラテを冷ましていたのだろう。今ごろ後悔しても遅いのだが、できればその姿を見ていたかった。だからせめてこれからは、真緒が許すかぎり見続けていたい。

そんなことを考えながらコーヒーを飲んでいると、カフェラテから顔を上げた真緒が声をひそめ、こちらの顔色を窺《うかが》うように言った。

「ごめんね、つまんない映画に付き合わせちゃって。休みが無駄になっちゃったね」

だからそうやって丁寧にフォローをされたら、ヘソを曲げるに曲げられないじゃないか。

「そんなことないよ。それなりに観れたし、真緒の言うことだってよくわかるよ」

つい、心にもないことを言ってしまう。僕は自覚のないまま真緒に制御され始めているのではないだろうか。

タクシーがけたたましくクラクションを鳴らし、デパートと銀行に狭まれた通りを駆け抜けていった。その音はまるで、「気をつけろよ」という僕へのアドバイスのように聞こえた。

テーブルの向かいの相手に目を戻す。

「面白いよな」

「つまんなかったよ」

「いや、さっきの映画じゃなくて」僕は肩をすくめた。「人の縁というのはわからないもんだ、というようなことが言いたかった」

「そう?」

「うん。だっておれ、日曜に銀座で真緒とコーヒー飲んでる。何ヵ月か前までこんなこと、想像すらしてなかった。真緒が選んだ代理店におれがいるなんて、確率としてはほぼゼロだよね。中三で引っ越してからはお互いどこで何やってるかも知らなかったのに、まさか恵比寿のランジェリー・メーカーの応接室で再会するとは」

僕の言葉に、真緒から意外な質問が返された。

「迷惑じゃない?」

「何が?」

「また私と会ったこと」

「まさか」髪が乱れるほど激しく、僕は首を横に振った。「なんでそんな風に思う？」

「だって中学のときの浩介、学校から帰るときとか、私がついてくと迷惑そうな顔してたから」

「そんなの一種のポーズだよ。本当に迷惑だったら銀杏《いちょう》公園で一時間も二時間も立ち話なんてしないし、なんだその、あんなことだってしないよ」

「あんなこと？」

「あんなことだよ」

僕の声はかすれ、極端に小さくなった。

「ああ、あんなこと」真緒は所在なげに俯《うつむ》き、カフェラテを啜った。「あちっ」

何か物欲しげに聞こえてしまったのではないかと動揺する一方で、僕の目は真緒の唇に引き寄せられていた。形のいい小さな唇には、淡い色合いの口紅が引かれている。

「なんというか、十年って早いな」

意識して唇から目を逸《そ》らし、僕はそんなことを呟《つぶや》いた。

もう二十五なのだから当然のはずなのだが、それでも不思議な気分だ。真緒がメイクをしている。

「早いねえ、もう十年」テーブルに肘《ひじ》をつき、真緒は窓の外の曇り空を見上げた。

「なんだか、先がなくなっちゃったね」

「そんな寂しいこと言わないでくれよ。たしかに、いちばん勢いのある時期は過ぎちゃった感がなきにしもあらずだけど、面白くなるのはむしろこれからだよ。ていうより、面白くしないと」

こちらに向き直り、真緒が微笑《ほほえ》む。

「そうだね。自分たちで面白くしないといけないね」

「自分で」ではなく「自分たちで」と真緒は言った。そこには僕も含まれているのだろうか。そうであってほしい。

「そこで相談だけど」僕は極力さりげなく切り出した。「今度どこ行く？」

真緒は背中を丸め、秘密を打ち明けるように言った。

「今日は私の気まぐれでハズレ引いちゃったから、今度こそハリウッド映画にしようか」

「うん。そうしよう」

よし。なし崩し的に次のデートの約束ができてしまった。

僕がそう安堵していると、真緒はひょいと窓の外を見、しばらく思案してから言った。

「やっぱり、映画じゃなくてテーマパークにしない？　映画はしばらくいいや」

気まぐれだ。

＊

夜道を裸で歩いていた、というのとは別に、真緒についてはもうひとつの噂《うわさ》があった。

真緒は両親の実の子ではないらしい。

その噂の発信源は、彼女の自宅の近所に住んでいる生徒だった。伝わってきた話では、真緒の姿を見かけるようになったのは転入の一、二ヵ月前からのことで、それ以前の小学校時代には真緒はいなかったらしい。

夜歩きの噂については本人に確かめる勇気が持てないままだったが、家族関係の噂については、ある日唐突に事実であることが判明した。

「私はお父さんとお母さんの子じゃないんだよ。里子なの」

背中を丸めた姿勢でゆったりブランコを漕《こ》ぎながら、真緒は重大な秘密をごくあっさりと打ち明けた。

「へー、そうか」

関心なげにそう答えた僕だったが、実際は背中を預けているジャングルジムからずり落ちそうなほど驚いていた。

いったいどんな話の流れで親の話題が出てきたのかはもう憶《おぼ》えていないが、ブランコに座ったまま「からかわれるの嫌だから、みんなには内緒だよ」と人差し指を立てる真緒の姿と、その足元に積もった葉の黄色は今でも瞼《まぶた》の裏に残っている。

どういう経緯で里子になったのか。生みの親は健在なのか。あるいはもうこの世にいないのか。真緒に聞きたいことはたくさんあったが、何も聞けなかった。いわゆる家庭の事情というものに中学生ごときが踏み込んではいけないのではないかと、子供ながらに僕も気を回していたのだろう。

真緒が前後に揺れるたびに、古いブランコはきいきいと甲高い音を立てていた。

いつの間にそうなったのだろう、中学二年生だった僕たちにとって、学校帰りに銀杏公園に立ち寄るのは半ば習慣になっていた。そこは教室よりもずっと多くの思い出がある場所だ。

寒風吹きすさぶ中、日が暮れるまで話し込んで風邪をひいたのは春先のことだ。真緒の誕生日を「おめでとう」のひと言だけで済ませたのは五月二日。暑さで溶けたアイスバーが棒から落ちてしまい、真緒が涙目で地団駄を踏んだのは一学期の終業式の日。いつだったか、僕が捨て犬を拾おうとして真緒に咎《とが》められたこともある。

銀杏公園というのは通称で、正式な名称はほかにあったのかもしれない。だが、近所の人たちは敷地を覆《おお》うように佇立《ちょりつ》する銀杏の木をそのまま通り名にしていた。

ブランコとジャングルジムのほかに遊具のない小ぢんまりとした児童公園で、子供の姿は滅多に見られなかった。狭いためにボール遊びが禁止されており、歩いて行ける範囲に複合遊具を備えた広場があるので、子供はみんなそちらに行ってしまうのだ。僕自身、銀杏公園のすぐ裏手に住んでいたものの、小学生の頃はその広場でばかり遊んでいた。

真緒の自宅は銀杏公園からさらに七、八分歩いた先にあるのだが、彼女は毎日のようにそこでひと休みしていった。

僕たちにとって、銀杏公園は一種の隠れ家だった。ほかの生徒たちが通う通学路からは一本奥まった通りに面しており、銀杏の木がうまい具合に衝立《ついたて》の役割を果たしているので、一緒にいるところを見られたり、会話を聞かれたりする気遣いがなかったのだ。しかもその銀杏はギンナンの生《な》らないオス株なので、葉が色づく季節であってもそれを目当てにやってくる人もいない。

僕が好きな鉄道の話には真緒がほとんど関心を示さないので、話題は自然とクラスメイトや教師への不平や不満になっていった。この点について真緒は僕以上に言いたいことがあるらしく、「誰々はヤな奴《やつ》、誰それはもっとヤな奴」と、クラスメイトを出席番号順に斬《き》って捨てていくのだった。

学校で溜《た》まった鬱憤《うっぷん》を吐き出すだけ吐き出し合うと、話の終わりはきまって僕の「だからぜったい東京の大学に行く」という宣言で締められた。東京の大学というのが、千葉の片田舎に住む男子中学生にとっての「ここではないどこか」の象徴的存在だったのだろう。都内はいろいろな電車が走っていて楽しい、という理由もあったが。

一方、こちらがたじろぐほどの恨みつらみを並べるのが常であった真緒は、たまに思い出したように「私も東京の大学に行く」と言い張ることがあって、僕を失笑させた。真緒の頭の中身で入学できる大学などあるはずがないと、高をくくっていたのだ。

そんな毎日の中、ひょっとしたら最低ランクの大学なら、と思わせる小さな事件が起こった。真緒が漢字の小テストで満点を取ったのだ。

正確な日付はさすがに憶えていないが、銀杏の葉が散りかけていたのだから秋の終わりあたりだったのだろう。鎌ヶ谷西中で過ごした二年あまりの日々の中でも、僕にはとりわけ思い出深い日だ。なぜなら真緒が里子であることが判明し、まず不可能だと思われた十点満点を取り、おまけにファースト・キスをした日なのだから。

真緒はスカートのポケットから取り出した答案用紙を丁寧に開き、へらへらとしまりのない笑みを浮かべた。

「お父さんとお母さん、これ見たらびっくりするよ。泣いちゃうかも」

「じゃあ、早く見せに行けば？」

人目のない所であっても、僕はつれない態度を崩さなかった。真緒と銀杏公園で過ごすひとときはけっして嫌いではなかったのだが、中学生にありがちな過剰な自意識が素直になることを妨げていた。

「んー」答案用紙とにらめっこしていた真緒が、おもむろに立ち上がった。「あとでいい」

彼女は僕のそばにやってきたかと思うと、軽やかな身のこなしでジャングルジムを登っていく。速い。

細い鉄枠に両足を置いて遊具のてっぺんに立った真緒は、その場でもう一度答案用紙を広げた。

「おい、危ないぞ。落ちるぞ」

振り仰いだ空の青さに目を奪われた。銀杏の木が、風に身を震わせながら葉を散らす。

脚を広げているので、真緒のスカートの中は丸見えだ。体育用のショートパンツを穿《は》いているとはいえ、あまりに無警戒な大股《おおまた》開きにはむしろこちらが恥ずかしくなってしまう。なにより、いまにも転落してしまいそうで見ていられない。

僕の頭の上で、真緒は誇らしげに言った。

「満点だよ。満点取っちゃった。浩介は何点？」

七点。

「そんなことといいから、立つのやめろ。なんでそんな危なっかしいことばっかするんだよ。もっと普通にしてろよ」

「危なくないよ。大丈夫だよ、ほら」

そう言うと真緒は、細い鉄棒の上を二本の足で器用に歩き回った。こちらの足がすくむ。

「危ないって！　とにかく下りてこいよ。落ちて死んだら東京の大学行けないぞ」

「それは困る」

真緒はジャングルジムの上を歩くのをやめ、地面までするすると降りてきた。柵《さく》を内側から摑《つか》み、もう片方の手にある答案用紙をしげしげと眺める姿は、檻《おり》の中のサルのようだ。

たかが十問の小テストだが、真緒にとってはたゆまぬ努力の結晶なのだ。

書き取り練習用のノートには、毎日少しずつ漢字が増えていった。文字どおり、毎日だ。周囲にからかわれても、嘲笑《あざわら》われても、真緒はあきらめずにノートのマス目を漢字で埋めていった。そのいじらしいまでの努力を間近で見ていた僕にとっても、真緒の十点満点獲得は誇らしく、爽快《そうかい》な出来事だった。

ジャングルジムから半身を乗り出し、真緒は出し抜けに言った。

「ありがとう」

「何が？」

「私にかまってくれて」

体中に、それまで経験したことのないような火照《ほて》りを感じた。

気づけば、僕は真緒に唇を重ねていた。

どうしてそんな大胆なことができてしまったのか、いまだによくわからない。気持ちを表現する言葉が見つけられず、衝動的に行動に走ってしまったのかもしれない。

人生で初めての口づけは、ほんの一瞬で終わった。ふと我に返った僕が反射的に唇を離してしまったのだ。

まず目に入ったのは、ジャングルジムに降りそそぐ落ち葉の黄色だった。生意気にも目を閉じていたらしい。誰かに見られたのではとこわごわ周囲を見回したが、落ち葉が風に舞っているだけだった。

向き直ると、真緒は突然の出来事に目を丸くしていた。おそらく僕も同じ表情をしていたことだろう。何も考えられなくなって、びっくりした顔のまま僕たちは互いの視線を逸《そ》らした。

あまりにもあわただしいキスで、感触を味わうも何も、そんな心の余裕はまったくなかった。ただ、真緒と向き合ったときの見え方が、それまでとはどこかちがっていた。真緒の一部が僕に入ってきて、僕の一部が真緒に入っていったような、そんな不思議な感じがした。

十四歳の僕には、その感覚は得体の知れぬ不穏なものに思えた。

＊

言うまでもないことだが、真緒が勤めているランジェリー・メーカー「ララ・オロール」の顧客層は、一部の特殊な趣味の人々を除けばほぼ全員が女性だ。しかし、社員の男女比率はそのかぎりではないので、当然、恵比寿の会社に行けば廊下で男性社員とすれ違うことも多い。

何度も通っているうちに、この会社とそのほかの営業先とでは明白な相違点があることに僕は気づいた。男性社員にそれとなく睨《にら》まれるのだ。

会釈《えしゃく》の際に男どもが浴びせてくる「こいつ、何者？」という対抗意識丸出しの視線に、僕はよその縄張りに迷い込んだ犬のような緊張を覚えることがたびたびあった。ただ、真緒の上司と歩いているときにこの種の視線を浴びたことは一度としてない。つまり、男性社員の間での真緒の人気がけっこう高いということだろう。そう思うとたんに落ち着かない気分になってくる。今も、我が社ではまず見かけないようなピンクのワイシャツを着た三十がらみの男に靴先から頭のてっぺんまで観察されたところだ。こちらこそ「お前は真緒のなんなんだ」と聞き返したいところだが、もちろん、そんなことを言えるはずもない。

田中さんやほかの上司のお供で訪問するときは、恵比寿の街を眼下に一望できる立派な応接室に案内されることが多い。それが、僕一人となるとパーテーションで区切られただけの談話スペースや、窓のない狭い会議室に通されることになる。

「偶然、偶然。いまちょっと応接室ふさがっちゃってるの。もしよかったら社長室で話そうか」

二人だけの気安さからついぼやいてしまったら、真緒からそういう返事が返ってきた。僕はあわてて首を振る。

「やめてくれよ、社長室なんておそれ多い。それはそうと真——渡来さん、梶尾部長はこのあとお見えになりますか？」

仕事で真緒と会うというシチュエーションのせいで、くだけた言葉遣いと営業用の語彙《ごい》が混じったおかしな日本語になってしまった。おまけに仕事で会うときは苗字《みょうじ》で呼び合うと決めているので、会話はますますぎこちなくなる。

「ん、梶尾は撮影の立会いでちょっと。三時には戻ってくるはずだったんだけど遅れてるみたい。だから今日は私がお話を伺い、上の者に報告するという形になりますが、それでよろしいでしょうか。ごめんね、部長いなくて。あ、コート、うしろのハンガー使って」

勧められるままにコートをハンガーに掛け、僕は本音を漏らした。

「ここだけの話、実質この仕事動かしてるのは渡来さんなわけですし、正直二人だけのほうが気楽でいいや。で、さっそくですがうれしいお知らせを——」

僕たちは、日本人講師のいない日本語学校の生徒のような調子で話を進めた。

この日は打ち合わせなどもなく、簡単な報告だけの用事だったこともあり、会社から出向いたのは僕一人だった。「御社の新しい広告が鉄道会社の審査を通りましたよ」と伝えに来たのだ。

このくらいの用事なら電話一本でも事は済むのだが、僕はなんだかんだと理由をでっち上げて「ララ・オロール」に来てしまった。早い話が、真緒に会いに来たのだ。

この会社はビール工場跡の再開発で誕生した高層ビルの中にある。敷地内にはオフィス棟のほかに映画館や高級ホテル、フレンチレストランなどが点在していてなかなか雰囲気がいい。が、ビル風がきつい。

とりわけ一月のビル風は泣きたくなるほど冷たいが、真緒に会えると思えばそんなものは春風も同然だった。なにせ年末は互いの仕事が忙しく、正月は真緒が「最初で最後の親孝行」だとかで両親を連れて温泉旅行に行ってしまったので、僕たちは三週間も会えずにいたのだ。メールこそ毎日のように交わしてはいたが、真緒の話し方そのままの文面を読むと、僕の寂しさはかえって募った。

真緒と再会するまでは何年も、恋などとは無縁の生活を送ってきた。また、その状態をとりたててどうとも思わなかった。むしろ気楽でいいとさえ感じていた。だが、こうして真緒と会うようになってからは、一人でいることが耐え難い苦痛に感じられるようになってしまった。駅や街なかで無意識のうちに真緒の姿を探している自分に気づいたり、寝入り端《ばな》に真緒の声を耳にしたような気がして目が覚めてしまったりということが、たびたびあった。

だから、今日恵比寿まで来たのにはきわめて個人的な理由が関わっているのだが、会社を出るときに咎《とが》める者はいなかった。「ララ・オロール」関係の仕事となると、自分でもわかるほどに僕は目の色が変わる。それが周囲には熱心に働いているように見えるらしく、今では僕が「『ララ・オロール』に行ってきます」と言ってもいちいち気に留める人間は、少なくとも営業部内にはいなくなっていた。

「よかったー。東海林さん喜ぶだろうなあ」

僕の説明を聞き終えると、真緒は相好《そうごう》を崩した。

東海林さん、というのは現在制作が進められている大型セットボードを手がけた外部デザイナーの名だ。「ララ・オロール」の依頼でこの人が上げてきた見本が、我が社でちょっとしたトラブルの種になっていたのだ。

物言いをつけてきたのは媒体部の人間だった。下着姿のモデル二人が向き合っている構図が卑猥《ひわい》なので、鉄道会社の審査に申請できないというのだ。

どこがどう卑猥なのかと、東海林さんや真緒ばかりか、僕までもが首を傾《かし》げてしまう話だった。たとえばモデル二人が寄り添いながら指を絡《から》ませるようなポーズをとっているのなら、消費者に卑猥と受け取られる可能性はあるかもしれない。しかしモデルたちの距離は手を伸ばしてやっと届くくらいまで開いていて、視線もそれぞれ別の方向を向いている。身に着けている下着の色は淡いブルーとイエローで、背景はわずかに灰色がかった白。これまでの東海林さんのデザインの中でもっともかわいいと「ララ・オロール」の社内でも評判で、男の僕から見ても、いやらしさは感じられない仕上がりだった。

こういうときに頼りになるはずの上司の田中さんは、ここのところ出張続きでこちらの案件にまでは手が回らない。しかし誰かが媒体部と渡り合わなければ会社の信用に関わる。自信も勇気もなかったが、僕は媒体部と交渉することにした。

何をもって卑猥と判断したのか、鉄道会社の審査を申請するだけしてみればいいのではないか、と僕は媒体部の担当者に恐るおそる進言した。

入社二年弱の小僧の言うことに、初めのうち相手は耳を貸してはくれなかった。しかし毎日のように食い下がっていくうちに、だんだんと理由らしきものが説明されるようになった。

そこからはほとんどコントだった。曰《いわ》く、下着の面積が若干小さいような気がする。モデルたちが正対しているのが淫靡《いんび》に見える。B1やB0サイズのポスターならともかく、畳三帖《じょう》ほどもあるセットボードでこのデザインは刺激が強すぎるかもしれない。尋ねるたびに説明は変わり、根拠は曖昧《あいまい》になっていった。

真緒の手前引き下がれないという意地と、部署はちがうとはいえ上司と渡り合う緊張感が、僕をひどく昂《たか》ぶらせていた。社内メールの送信は日課になり、あの見本より際《きわ》どい広告なんていくらでもあるじゃないかと、さまざまな駅構内で撮影してきた「証拠写真」の束を手に媒体部に乗り込むことさえした。

駆け引きを知らない僕のしつこさが功を奏したのか、最終的には相手が折れてくれた。そしてほどなく、鉄道会社からの掲出許可が下りた。

「媒体部の人間って、電鉄に気を回しすぎなんですよ。電鉄のご機嫌を伺うばっかりで、クライアントとかその向こうにいる消費者のことがまったく目に入ってない。役人相手にしてるみたいで疲れる」

愚痴をこぼす僕をなだめるように、真緒は言った。

「でも、こう――奥田くんの頑張りがその人を動かしたわけですよね？　お世辞じゃなくてすごいと思うよ」

「いやいや、渡来さんの激励とご協力のおかげですよ」

「ご協力っていっても、高校のときのグループ研究みたいで楽しかったよ。上野で食べたあんみつもおいしかったし」

対媒体部用の作戦を練るときも、「証拠写真」を撮って回るときも、真緒にはおおいに力を貸してもらった。写真のアイデアを打ち明けたところ「私もいやらしい広告探す」と、僕以上に息巻いて駅めぐりに協力してくれたのだ。あんみつはその謝礼だった。

社内のゴタゴタを得意先に漏らすのは営業マンとしてやってはいけないことだし、ましてや内輪の揉《も》め事に巻き込んで師走《しわす》の町を連れ回すなど言語道断だ。公私混同もはなはだしいのだが、公私混同をしていなければ、東海林さんや梶尾部長に土下座しなければならない事態を招いていたかもしれない。

「だからすべて、渡来さんのおかげです」

「え、なに?」

「ん、なんというか、一緒になって考えたり腹を立てたりしてくれる人がいてくれたから、自分の力以上のことができた。しかもいま、一緒に笑ってくれている。それがすごくうれしい」

「なんですかもう、いきなり」

照れくさそうに視線を逸らした真緒は、柔らかそうなニットの袖《そで》を意味もなく捲《まく》ってみてはまた元に戻した。

「いやほんと、そうだよ。セットボードの件はおれが御社に提案したことだったんで、責任感じて胃が痛くなったりもしたけど、逃げずに闘ってよかった。なんか、『お供の若手』の域から一歩踏み出せた気がする。ほんとにありがとう」

「なにその『やり遂げた』って表情は。浩介、お願いだから帰りに事故とか遭わないでよ。好事魔多しっていうでしょ」

「はい、気をつけます。だから渡来さんも、気をつけてくださいよ」

「何に？」

僕はわざと意地の悪い笑みを浮かべた。

「仕事のときはお互い苗字で呼び合おうと決めましたよね」

「あ」

「そういうそそっかしさは、昔と変わってないなあ」

真緒は僕から視線を外し、口を尖《とが》らせた。

「だって、浩介が変にあらたまって言うから」

「ほら、また」

「あーもう、うるさい」あきらかに動揺している。「奥田くんにお礼言われるの初めてなんだもん。調子が狂うじゃないですか」

「あれ？　言ってなかったですか？」

「取引相手としてなら、それはもう何度もおっしゃっていただきましたよ。でもそうやってしみじみ『ありがとう』って言われたことは、中学時代を含めても記憶にないかな。まあ、あの頃は困らせてばかりだったから、言われなくて当然なんだけど」

たしかに当時、真緒に感謝の言葉を掛けたことはなかった。自分にとって誰がいちばん大切なのか知っていたくせに、僕は真緒を見下してばかりいた。

「ごめん。おれ、冷たかったよね」

「そんな。あの、反省と謝罪を求めてるように聞こえました？」真緒は両手を大きく振った。「ちがうからね。喜んでるんだから。私も奥田くんに感謝されちゃうくらいにまで成長できたんだなあ、って。中学のときはなんの力にもなれなかったけど、いまはちょっと、奥田くんに追いつけたみたいでうれしいんですよ」

「いや、とっくに追い越されてるよ。今回の件で上司を相手に粘れたのも、上の人にも物怖《ものお》じしない渡来さんに負けていられないって気持ち故《ゆえ》のことでして」

「いやいや、何をおっしゃいますやら。奥田くんがいたからこそ、『学年有数のバカ』から脱却できたわけですから」

「いやいやいや」

「いやいやいや」真緒はふと、真顔になった。「……二人で褒めあってて、私たちバカみたいだね」

僕たちは肩をゆすって笑った。

「不思議だよなあ」椅子《いす》に背中をあずけ、僕は言った。「結構な額のお金と人が動いて、駅にでっかい看板がいくつも出て、顔も名前も知らない人たちがそれを見て、『ララ・オロール』の商品を手に取る。囁《ささや》き声みたいなものだけど、あのときの中学生たちがこうして力を合わせて仕事の成果を世に問うているんだから、人生わかんないよな」

「そうだよね。いま、一緒にいるんだよね」

そう言って、幸せそうに微笑《ほほえ》む。この笑顔に再会できたことは僕にとってても幸せだ。

「また会えてよかった」

「それ、本心からおっしゃってくれてます？」

「もちろんです」

「ありがとう。勉強見てくれたのもそうだけど、私ね、奥田くんが何度も守ってくれたから、ほんとに助かったんだよ」

「守ってなんかいないよ」

「守ってくれたよ。『マーガリン事件』のときとか、あと、ほかにも。それから、いつも話し相手になってくれたから、寂しい思いをしなくてもよかったし」

「それは逆で、渡来さんがおれの話し相手になってくれてたんだよ」

「でも、私を庇《かば》ったせいで奥田くんが孤立することになったんだもん。私としか話せなくて寂しかったでしょ、ごめんね」

「謝ることじゃないよ、おれの中ではもういい思い出だし。それ以前の話として、当時の真緒が気を遣って声かけてくれてたんだってことにびっくりしてる」

真緒は首を横に振った。

「ううん、話したいから毎日話しかけてただけ。中学の頃の私、本当になーんにも考えてなかったから」

「そのくらいの方が、真緒らしいや」

「ところで奥田さん？」

真緒が、からかうような眼差《まなざ》しになる。

「はい？」

「仕事中は苗字《みょうじ》で呼び合う決まりですよ」

そうだった。だけどもう、どうでもよくなってきた。

「それ、いったん棚上げにしましょう。今はなんだか、真緒の名前を呼びたい」

「うん、わかった。浩介」

真緒も同じ気持ちのようだ。

これはもう、そういう状況だ。銀杏公園のときは僕が一方的に感情を押しつけてしまったが、今はちがう。お互いがすべきことを理解している。

だが、僕らの間には白く大きなテーブルが横たわっていた。真緒までの距離は果てしなく遠い。かといって、テーブルを回り込んで真緒のそばに行くのはなんとも間が悪い。たとえばこれが車の中とか観覧車とか、それらしいシチュエーションであったならよかったのだが、ここはお得意様の会議室だ。

判断に迷った僕は、苦笑いで真緒に尋ねた。

「どうしましょうか」

「まあ、その、成り行きにおまかせします」

めずらしく真緒は俯《うつむ》き、テーブルの上の手をしきりに閉じたり開いたりしている。

「ええと、では、ご起立願います」

僕たちは立ち上がり、テーブルに手を突いた。身を乗り出せばなんとか届きそうだ。

廊下から、こちらに駆けてくるパンプスの靴音が聞こえてきた。真緒が早口で囁く。

「うわ、梶尾さん帰ってきちゃった」

「うそっ。では、ご着席願いますっ」

僕たちはあわてて椅子に腰掛け、書類をめくるふりをした。それとほぼ同時に、コートを羽織ったままの梶尾部長が会議室に飛び込んできた。

「すみません、遅れてしまいまして」

椅子に深く背中を預けた真緒は、たった今まで仕事の話をしていたような顔で上司に手を振った。

「梶尾さん遅いですよー。もう話済んじゃいましたよー」

なかなかの演技力だ。

2

朝の引き締まった空気の中、真緒は先ほど食べた焼鮭《やきざけ》の匂《にお》いのげっぷをした。

「ごめん」

言葉とともに吐く息が白く凍る。

真緒の頬が赤く染まっているのは恥ずかしさのせいか、それともこの冷え込みのせいか。おそらく両方だろう。それに加えて、照れもある。彼女はコートの下に僕のセーターを着込んでいた。

つまりは、そういうことになった。

昨夜はいつものように待ち合わせをして、いつものように食事をした。そしていつものように手を振って別れるはずだった。だが、電車が乗換駅に到着したとき、僕は真緒の手を握って車内に引き留めた。またしばらく会えないのかと思うと、そうしないではいられなかった。

ほんの数十秒の停車時間がひどく長く感じられた。発車メロディが鳴り終わってドアが閉まると、彼女は黙ったまま僕の手を握り返してきた。

「野田線の終電間に合わないから、会社の子の家に泊まってくね。うん、武蔵小山の子。それで、明日は休みだから、お昼ごろには帰る」

真緒は自宅への電話でそう告げた。

彼女が嘘《うそ》をつくのを僕は初めて見た。真緒が電車を降りたのは東急目黒線の武蔵小山ではなく、西武新宿線の上井草、つまり、僕のワンルームマンションの最寄《もよ》り駅だった。

通話中、僕は真緒の両親への罪悪感を覚えつつも、送話口に声を拾われないようにひたすら息をつめていた。

駅前通りのコンビニで飲み物や歯ブラシ、その他の衛生用品を買ったことも、ろくに言葉も交わせぬまま自宅までの道のりを歩いたことも、マンションの入り口のステップでつまずきかけたことも、昨夜のことなのになんだか遠い昔のように感じる。

そして今朝、ファミリーレストランで言葉少なに食事を済ませた僕たちは、やはりほとんど無言のまま土曜の朝の住宅街を歩いている。日陰を歩くと、靴底から寒さが立ち昇ってきて脚が震える。

罪深き僕たちは井草八幡宮《はちまんぐう》の境内を小さくなって突っ切り、善福寺池の畔《ほとり》に出た。空が広い。

微風が水面《みなも》を音もなく波立たせている。ウォーキング中の初老の夫婦が、すれ違う拍子に「おはようございます」と声をかけてきた。

見ず知らずの他人と挨拶《あいさつ》することなど久しくなかった僕らは、かすれた声で「おはようございます」と答えた。

木々に留まった雀《すずめ》たちの声がかまびすしい。まるで、「なんか喋《しゃべ》れよ」と僕たちに催促しているみたいだ。

「寒いね。まあ、一月だから当然か」

歩く先を見るともなしに見ながら、僕はどうでもいいことを呟《つぶや》いた。今朝からどうにも、目を合わせづらい。

「でも、歩いたらあったかくなってきた」

口もとに寄せた両手に息を吹きかける真緒の視線は、青く晴れた空を見上げたり池のカルガモを追いかけたりと忙しい。しかし、僕の顔だけは器用に避け続けた。

「けっこう長い距離歩いちゃったけど、大丈夫？」

「ん。もう大丈夫」

消え入るような固い声を耳にし、僕はますますそわそわした。これまで女性を知らなかったわけではないが、動揺や緊張まで共有してしまう気持ちにまでなったのは初めてだ。

大学生の頃、短い期間付き合っていた女性がいた。アルバイト先のファミリーレストランで働いていたフリーターだ。僕と彼女は何度かデートし、クリスマスにはプレゼントを交換し、そして一度だけ、夜を過ごした。

でも、本当に好きだったのかと問われたら、無責任なようだがわからないとしか答えようがない。好きだから一緒にいたのではなく、「人並みに彼女がいる自分」に浸りたかっただけなのかもしれない。

働いていた店には従業員用のチェックシートがあって、客席の調味料の交換から洗面所の液体石鹸《せっけん》の残量まで、いくつもの項目を確認してボックスに印をつけるきまりになっていた。

二人で送った日々は、その作業によく似ていた。「初デート」の項目にチェックを入れ、「三度目のデートでキス」の項目にチェックを入れ、「クリスマス」と「初詣《はつもうで》」の項目にチェックを入れ、最後の項目にチェックを入れたら、もうすることがなくなってしまった。

「ほかに好きな人ができちゃった。自分の気持ちに正直に生きたいの」

ある日、彼女は唐突にそう言った。そして、同じ店のほかのアルバイトと付き合いはじめた。僕はその店を辞めた。思い出すだにばかばかしい話だ。

一方の真緒は、チェックシートを一度も持たずに今日まで来た。その証《あか》しはいま、マンションの洗濯機の中で回っている。

驚いたが、反面、真緒らしいという気もする。

二十五歳の今日まで、望めばいくらでもその機会はあっただろう。中学時代はともかく、それ以後の彼女に言い寄った男は何人もいたはずだ。そういう男たちではなく僕を選んでくれたという事実は、夜が明けてもなんだか上手《うま》く受け止めきれない。

池を半周し、僕たちは日当たりのいいベンチに腰を下ろした。朝の陽射《ひざ》しを乱反射する水面が眩《まぶ》しい。

「ここ、あったかいね」

そう呟いて目を細める。真緒には、ひなたがとてもよく似合う。

膝《ひざ》の上にあった相手の手のひらに手を重ね、そっと指を組んだ。お互いひどく緊張していた昨夜の余韻が残っているようで、彼女の肩が小さく跳ねた。組んだ指を通じて動揺が伝わり、僕の心臓まで躍ってしまった。

真緒の手は柔らかくて温かくて、指は簡単に折れてしまいそうなほど細い。

こういうときにどういう言葉をかけていいかわからず、思い浮かんだ言葉をとりあえず口にする。

「眠くない？」

「眠くない。浩介は？」

「眠くない」

「そう」

また会話が途切れてしまった。いつもなら掘り当てたばかりの温泉のように言葉を溢《あふ》れさせる真緒も、今朝はいたって寡黙《かもく》だ。

「もう、就職してから二年近くこの町に住んでるけど」沈黙に耐えきれず、僕は言葉を並べた。「やっぱりなんだかんだ忙しくて、この公園って三回くらいしか来たことないんだよなあ。なんか、運がいいとカワセミが見られるらしいよ」

真緒がぱっと顔を上げた。

「あ、私見たことある」

「どこで？」

「ここで」

「え？」

「言わなかったっけ？　私の出た大学ってこのすぐ先なの。だから、善福寺公園にはたまに散歩に来てた」

真緒が女子大卒であることは知っていたが、考えてみれば具体的な校名までは聞いたことがなかった。僕は今日になって初めて、真緒がこの近辺の名門女子大の卒業生であることを知った。

「じゃあおれたち、前にもこのへんですれ違ってたかもしれないんだ」

些細《ささい》な偶然も二人が強い絆《きずな》で結ばれていることの証しのような気がして、僕は声を弾ませた。

「それはないでしょ。浩介が就職したのは私が大学卒業した次の年だもん」

そうだった。なにを勢い込んでいるんだ僕は。

「なんかおれ、いつの間にか真緒に追い越されてたんだなあ」

「え、そう？」

「だって、真緒は名門女子大出身だし、社会人としては一年先輩だし、仕事はできるし、話してても今みたいに真緒のほうが冷静なこともある。中学のときは逆だったのに」

拗《す》ねてどうする。

「そんな。私はただ浩介のことを追いかけてただけだよ。浩介はすごく勉強ができたから、私もいっぱい勉強して追いつくんだって」

そんなことを言われると、体がこそばゆくなる。

「真緒が言うような秀才だったことなんて、一瞬だってなかったよ」

「当時の私にはそう見えたの。だって浩介、英語も国語も数学も、なんだって知ってたんだもん」

「いや、じゃあ、百歩譲ってそこまではいいとして、それがなんで女子大に？」

「東大落ちたから」

「とっ……」

言葉を失った。東大だと？　どこまで成長すれば気が済むんだ。だいたい、それでは追いかけていく方向がまったくの見当違いだ。

水面を泳ぐカイツブリを目で追いながら、真緒が続ける。

「『東京』と名の付く大学をいくつか受けたんだけど、さすがにあそこは別格だった。試験問題読んでみても、何を問われてるかすらわからないの。結局受かった中でいちばんランクが高かったのが女子大で、浪人も考えたけど親に説得されて入学しちゃった」

「どうしてそんなに東京にこだわったの？」

真緒は肩をすくめた。

「浩介、『東京の大学に行く』って中学の頃よく言ってたよね。だから私も目指したの。それで女子大入っちゃうのは本末転倒なんだけど」

ここが公園ではなく僕の部屋だったら、きっと真緒を抱き寄せていただろう。真緒の体だけでなく、あきれるほどの単純さもひたむきさも詰めの甘さも、まるごと抱きしめたかった。

うれしさと後ろめたさが、僕の中で同時に膨らんでくる。あの頃真緒が口にしていた「私も東京の大学に行く」という言葉は、彼女にとっては単なる思いつきではなく、僕との約束だったのだ。しかしそのおかげで、高校時代の真緒は毎日四時間も勉強しなければならなくなってしまった。勉強時間の何分の一かでもほかの楽しみに向けていたら、彼女の青春はもっと充実していたにちがいない。僕のつまらぬ愚痴が真緒の進む道を狭めていたのだと思うと、そう単純には喜べない気分だ。

いまの感情を言葉にできずに黙りこくっていると、真緒が先に口を開いた。

「私って、やることがどこか人とずれてるの。中学のときの浩介の引っ越し先って、電車で二十分とか、その程度の距離だったんでしょ。先生に聞けば住所くらい教えてくれただろうし、簡単に会いに行けたのに、『また浩介と同じ学校に通いたい』って頑張ってるうちに手段が目的化しちゃった。ほんと、本末転倒だよね」

真緒のぐしゃぐしゃの泣き顔は、まだ憶《おぼ》えている。

中学三年の夏、松戸市の外れにできた建売住宅に僕の家族は引っ越した。

卒業までいくらもなかったので、元の中学に電車通学するという選択肢もあるにはあったが、僕は転校を選んだ。学校での「キレる子」扱いに耐えきれず、孤独感と閉《へい》塞感《そくかん》から逃げるように新しい中学校に移ってしまったのだ。

もちろん、真緒のことは心に引っかかってはいたが、その頃の僕たちには以前にはなかった隙間《すきま》ができていた。

真緒には変化はなかった。三年生になってクラスが分かれてしまったが、放課後などに僕を見つけるとあいかわらず「あ、こうすけー」と駆け寄ってきた。

変わってしまったのは僕だった。自分から強引にしたことだというのに、銀杏《いちょう》公園での唐突なキスをきっかけに僕はすっかり臆病《おくびょう》になっていた。心の中を自分以外の誰かが占める割合が大きくなってしまったことが怖かったのだ。しかもその「誰か」には気がかりな噂《うわさ》がつきまとっていて、家庭環境も複雑らしい。

求められればそれまでと同じように勉強を見たりもしていたが、日が暮れるまで無駄話に費やすようなことはなくなってしまった。それどころか、僕を探して廊下や昇降口を歩き回る真緒から隠れるようなことさえした。

よそよそしくなっていった僕を見て、真緒はどう思っていたのだろう。尋ねるのが怖い。

真緒が我が家にやってきたのは、夏休みに入って間もない暑い日のことだった。翌日には引越しが控えており、それが最初で最後の訪問となったのだが、泣き腫《は》らした目は縄文土偶のようで、汗と涙と鼻水が混じりあった顔は目も当てられぬ状態となっていた。

どうしていいのかわからずに玄関先で立ち尽くしていると、なんだかうれしそうな顔をした母に二人揃《そろ》って腕をひっぱられ、麦茶の入ったグラスと一緒に僕の部屋に押し込まれてしまった。

いくつかのダンボールと二段ベッドだけが残された、がらんとした部屋に向き合って座り、僕たちはろくに言葉を交わすこともなく夕方まで過ごした。

その間一度として泣きやむことのなかった真緒は、麦茶を何杯もおかわりし、ゴミ箱がティッシュで溢れるほど洟《はな》をかみ、我が家のトイレを借り、やがて「帰る」と告げた。

葡萄《ぶどう》やマドレーヌが手当たり次第に詰め込まれたビニール袋を母から持たされた真緒は、「元気でね。元気でね」とちぎれんばかりに手を振りながら、夕日の中を帰っていった。

その気になればいつでも会える距離なのになんでそんなに泣くんだと、僕は半ばあきれてその後ろ姿を見送っていた。

あのときの僕は、とんでもなく愚かだった。どうして転居先の住所を伝える手間を惜しんだのだろう。せめて、夏休み中に一度くらいは会う約束をしておくべきだったのだ。そうすれば、その後の成り行きも変わっていたかもしれないのに。

新居では弟と別々の部屋を与えられ、転入先では新しいクラスメイトたちから快く受け入れられた。だが、真緒がいない生活は味気なかった。

バカだろうがいじめられっ子だろうが、あの頃の唯一《ゆいいつ》の心の拠《よ》りどころが、真緒だったのだ。それを僕は、ちっぽけな見栄《みえ》や漠然とした不安に囚《とら》われてみすみす手放してしまった。十年後にこうして偶然の再会を果たしていなければ、死ぬまで真緒に会えなかったかもしれないのだ。

「真緒」

「ん？」

「また会えてよかった」

「私も」

気恥ずかしい会話がくすぐったくて、僕たちは肩をゆすって笑った。

小学校四年生か五年生くらいの女の子が、コーギーのリードを握ったまま落ち着きなくこちらを盗み見ている。照れくさいし、絡《から》みあった指が汗ばんでもきたが、この手は離したくない。

「おれが転校したあと、いじめられなかった？」

「じつはちょっと、ひどくなった」

「えっ」

「といっても、ごく一部。成績面で私に抜かされそうになった人たちが、それはもう必死に。ほかの人たちはその様子を見てかえって気持ちが萎《な》えたみたいで、人数そのものはむしろ減ったよ」

「その一部って、マーガリン事件の潮田とか？」

「そう。あのへんの連中」

「ごめん。『キレる子』のおれがそばにいたら、少しは防げたかもしれないのに」

大真面目《おおまじめ》な僕の様子がおかしかったらしく、真緒はもう一度肩をゆすった。

「大丈夫。抜き去ったらすっかりおとなしくなったから。みなさん、拭《ぬぐ》い難い敗北感を胸に卒業して行かれたようですよ」

人の耳をくすぐるようないつもの甘い声で、真緒は冷淡なことを言った。彼女の怖さを垣間見《かいまみ》たような気がして、背中にいっそうの寒気を感じた。話題を軌道修正しよう。

「いやあ、あれだけ嫌な思いをしたのに、真緒はよく、まっすぐに育ったよなあ」

「環境に恵まれたからね。中三の秋に親と養子縁組もして、いつまでも甘えていられないって自覚もできたし」

「そうか。そういうことを経験して、おれより目線が高くなっていったんだな。中一とか中二のときは、こんなにちゃんと『お姉さん』になってる真緒の姿は想像もできなかったけど」

「私、お姉さん？」

うれしかったのか、繋《つな》いだ手をぶんぶんと振って真緒は喜びを表した。

「こう、異常に子供っぽいところも残ってるけど」

指差すと、振っていた手がぴたりと止まった。

「じゃあもっと、落ち着いた人になるね」

「いいよ。子供っぽいところとか、そそっかしいところも全部ひっくるめて真緒が好きなんだから」

真緒はふやけた笑顔でこちらを見上げた。今朝初めて、ちゃんと目を合わせてくれた。

「褒められるのって、気持ちいいね」

キスしたい、と思った。その唇を感じたい。が、小学生がちらちらとこちらの様子を窺《うかが》っている。あっち行ってろ。

瞬間に高まった欲求をやり過ごし、苦しまぎれに僕はまた拗ねてしまった。

「真緒はこの十年でぐいぐい成長したけど、おれはぜんぜん成長できてないな」

真緒がまた、繋いだ手をぶんぶんと振る。

「そんなことないよ。浩介だってすごく成長してると思う。浩介のいい所はいっぱいあるよ」

「たとえば？」

尋ねると、ふっと目を逸《そ》らされた。

「………」

「ひでえ」

「うそうそ」真緒が、重ねた手にそっと力を加えた。「中学のときだって今だって、浩介が私のこと大切にしてくれてるの、ちゃんと伝わってるから」

それを言われるとたまらない気持ちになる。だって中学生だった僕は、何度も真緒を冷たくあしらってきたじゃないか。

「あの頃は、冷たくしてごめん。周りの目を気にしてばかりで、ちゃんと真緒に向き合ってなかった。とんでもなくお子様だった」

十年前の振舞いを悔いる僕を、真緒は慈《いつく》しむような温かい声で包んでくれた。

「だけど、なんだかんだいってもいつも一緒にいてくれた。学校から帰るときだって、私が強引についていっても怒らなかったでしょ。学校は大嫌いだったけど私、浩介と一緒にいるときは幸せだった。浩介は優しいから」

「優しくなんかないよ。ひどい奴《やつ》なんだよ。真緒を避けることだってしたんだから」

「私、しつこかったもんね」真緒が微笑《ほほえ》む。「でも、浩介がひどい人だとしたら、今こうしてそばにいないよ」

真緒は僕を笑って赦《ゆる》してくれる。本当に優しいのは彼女の方だ。

「おれ、真緒に寂しい思いはもうぜったいさせないから。『ちょっと離れてよ』って言われるくらい一緒にいるから。一度目に会ったときのおれは子供だったけど、二度目の今は、真緒のことがどれくらい大切か、わかってるつもりだから」

「うん、うん」

「愛してる」

感じたままの言葉が、僕の口をついて出た。

「え、なに?」

「愛してる、真緒。言葉と行動の順番が一部逆になったけど、愛しているから。『ラ・オロール』との仕事だって、真緒がいるから頑張れるんだ。おれなんかまだ入社二年目の小僧だから、本当ならいつ担当から外されてもおかしくない立場なんだ。それでも、今はある程度仕事をまかせてもらえるようになった。それもこれも、真緒にかっこ悪いとこ見せたくないから。だから、しがみついてこられた」

端整な真緒の顔が、ふにゃっと崩れた。

「えへへへへ」

「笑うなよ」

「だって、うれしくて。でも今ちゃんと聞こえてなかったから、もう一回言ってくれる?」

「あー、いや、なんだ」あらためて言おうとすると、かえって緊張してしまう。「その、あ、あいしちぇ、る。……噛《か》んだ」

身震いするほどの寒さなのに、言ったそばから背中にどっと汗が出てくる。

「私だって、浩介のそういうところとか全部ひっくるめて、愛してます。……うわー、口に出すとものすごくドキドキするね」

きつく握ってくる真緒の手を、僕は握り返した。

おれには真緒しかいない。

頬を真っ赤に染めて照れる横顔を見て、そう確信した。真緒以外の人間など、まったく目に入らない。真緒となら、つまらぬチェックシートなどに頼らなくてもやっていける。

彼女を抱き寄せようとしたそのとき、「ハッ、ハッ、ハッ」というせわしない息づかいが聞こえてきた。いつの間にか足元にコーギーが寄ってきていて、白い息を盛んに吐きながら僕たち二人を見上げていた。

横目で窺うと、先ほどの女の子がすっかりこちらに向き直って成り行きを見守っていた。リードを放してしまったことさえ気づいていないようだ。

「なんか、ギャラリーがいらっしゃるんですけど」

真緒は泣き笑いのような困り顔で僕に助けを求めてきた。

「では、もしよかったら、続きは部屋でしませんか？」

うわあ。我ながらなんてあつかましい提案だ。

「……ええと、じゃあ、そうしましょうか」

ほとんど勢いだけで言ってしまったのだが、真緒は素直に頷《うなず》いてくれた。

ベンチから立ち上がった僕たちは、ぼうっとしていた女の子にリードを渡して池の畔をあとにした。

まだまどろみの中にある住宅街を、手を繋いだまま歩く。

白い息を吐きながら、真緒は囁《ささや》くような声でハミングした。聞き覚えはないが、休日の朝によく似合う曲だと思った。

明るく弾むようなメロディを、テンポに緩急をつけながら真緒は繰り返した。裏声がときどきひっくり返って調子が外れたが、耳をくすぐるような声が心地よく、僕は黙って聴いていた。

＊

どうも、言葉の意味が理解できない。

いや、難解なことを言われたわけではない。真緒の父の言葉は、むしろ簡潔で明瞭《めいりょう》だ。「真緒と付き合うのはもう少し考えてからでもいいのでは」と言われたのだ。

どうしてそんなことを言うのか、また、言われなければならないのか、僕にはそれがどうしてもわからない。

日曜の遅い午後。レースのカーテンのむこうでは、西日に照らされた梅の木が風に花びらを震わせている。

いい休日になるはずだった。昔歩いた通学路をたどり、フェンス越しに中学校の校舎を見上げ、真緒の実家で夕方まで過ごす。

たしかに、前半はそうなった。先に僕の実家に立ち寄り、両親に真緒を紹介した時の雰囲気はすこぶるよかった。母は真緒のことを憶《おぼ》えていたようで、「あら、引越しのときに来てくれた子？　こんなにきれいになっちゃって」とはしゃぎ、なんとか自分も会話に加わろうとタイミングを計っていた父は、真緒の勤め先が恵比寿だと知ると唐突にヱビスビールの工場があった当時の恵比寿界隈《かいわい》の話をしはじめ、座を困惑させた。

このへんも昔からのお寿司《すし》屋さんが潰《つぶ》れちゃって、と母が宅配専門寿司の出前をとり、乾杯だけ、とビールの栓が抜かれた。アルバイトの夜勤明けの流れでどこかに遊びに行っていた弟も、寿司の匂《にお》いを嗅《か》ぎつけたかのように帰ってきた。自宅に若い女性がいることに弟は目を白黒させ、照れたのか真緒とはろくに目も合わせず黙々と寿司を口に運んでいた。

真緒とすっかり意気投合した母は「富山のイクヨ義姉《ねえ》さん、式に出てこられるかしら」と気の早すぎる心配をしだし、「変なプレッシャーをかけるな」と僕と弟にたしなめられた。笑いと高揚した気分は途絶えることがなかった。

大瓶二本ですっかり気持ちよくなった父がホットカーペットの上で居眠りしているのを横目に、母は夕飯も食べていきなさいよと真緒をしつこく引き留めた。それをなんとか振り切り、僕たちはほうほうの体で我が家から退散した。

ところが、次に訪れた渡来家で様相は一変した。

「すいません。いただきます」

自分でもがっかりするような情けない声で断りを入れ、僕は紅茶を啜《すす》った。「入れるでしょ」と真緒が砂糖もミルクも勝手に入れてしまっていたが、渋い。紅茶がこんなに渋く感じられるのは初めてだ。

「お父さんひどいよ。彼のどこが悪いの？　いきなり連れてきたのが気に入らないの？」

ソファのとなりに座る真緒の声が震えている。予想外の返答には僕以上にショックを受けている様子で、移動中に見せたはしゃいだ様子は霧散していた。

つい先ほどまで、「うちの親も浩介なら歓迎すると思うんだ。中学の頃、家で浩介のことばかり話してたから」と弾んだ声で語っていた彼女の横顔が、今は戸惑いと憤《いきどお》りに歪《ゆが》んでいる。見ているうちにこちらの唇が震えだしてしまい、僕はすぐさま視線を外した。

深い皺《しわ》の刻まれた頬を撫《な》で、真緒の父は娘を諭すように言う。

「真緒、奥田君が悪いとは言ってないよ。ただ、ゆっくり考える時間があってもいいだろうと言ったんだ。まだ二人とも若いんだから――」

「もう若くない！」すさまじい剣幕で真緒が怒鳴った。「若くないもん。好きな人くらい自分で選べるよ。お父さんは私のこと、まだ何もわからない子供だと思ってるんでしょ」

「そうじゃない。ちがうんだよ」

頬の皺をいっそう深くし、真緒の父はかぶりを振った。

「何がちがうんだか。もっとわかってくれてると思ってた。ねえお母さん、ひどいでしょ？」

しかし、真緒の母は伏目がちに「お父さんは別れなさいと言っているわけじゃないの。わかってあげて」と言うだけだった。

ひょっとしたら二人は、真緒が養子であることを気に病んでいるのだろうか。そうだとしたら思い違いもいいところだ。僕はそんなことにはまったく囚《とら》われないし、真緒本人だって引け目には感じていない。

あるいは僕に原因があるのだろうか。スーツではなくコーデュロイのジャケットにジーンズというラフな格好がまずかったのかもしれない。

そんな空想に近い反省をしてみたが、そういうことでもないようだ。結婚の許可を貰《もら》うために訪れたわけではないし、真緒の両親はその程度のことでつむじを曲げるような人たちには見えなかった。

尋ねていないので年齢はわからないが、二人は僕の両親よりも年嵩《としかさ》に見えた。お父さんの短い頭髪はむしろ白髪の方が多いくらいだし、その隣に座るお母さんはだいぶふくよかなのだが、手の甲や首筋には老いが浮き出ている。

「浩介も何か言ってよ」

真緒に腕を掴《つか》まれ、僕は逡巡《しゅんじゅん》しながらたどたどしく言葉を並べた。

「いえ、たとえば、今すぐ結婚させてくださいとお願いしてるわけではないんです。あの、今日は突然訪ねてしまいましたが、思いつきで付き合いはじめたつもりはありません。僕は真緒さんと、これまでも真面目《まじめ》にお付き合いしてきましたし、これからも、そうしていきたいと思っています。それを、お許しいただくことはできないんでしょうか」

言葉を切ると、真緒のお父さんは無言でソファから立ち上がって戸棚に歩み寄り、抽斗《ひきだし》を開けた。

どんな驚愕《きょうがく》の品が出てくるのかと、僕と真緒は固唾《かたず》を呑《の》んで見守った。が、出てきたのはただの国産煙草《たばこ》と使い捨てライターだった。

「お母さん、灰皿」

ため息をつきながら再びソファに腰を下ろし、真緒のお父さんは僕に一本勧めた。吸わない僕が断ると、「失礼」と呟《つぶや》いてから煙草を口にくわえた。真緒が尋ねる。

「禁煙中じゃないの？」

「今やめた」

煙草の先に火を点《つ》けて深々と煙を吸い込み、自分の膝元《ひざもと》に吐く。動作のひとつごとに顔をしかめ、お父さんは黙って煙草を吸い続けた。

灰皿を取りに行ったついでにお母さんは台所の換気扇を回し、暖房と照明のスイッチを入れた。

下総基地の自衛隊機だろう、屋根の上を重々しいプロペラ音が通り過ぎていく。居たたまれない空気だ。

僕としては、失礼のないように両親に挨拶《あいさつ》したら、あとは真緒の部屋で本棚をチェックしたり、高校や大学の頃のアルバムを見せてもらったりと楽しく過ごすつもりだった。ところがこうしてくすんだ灯りの下、リビングで気詰まりな沈黙の中にいる。

視線の持っていき場に困り、僕は煙草がしまってあった戸棚を見た。正月の温泉旅行で撮ったものだろう、フォトスタンドに一枚の写真が収められていた。雪の中でもうもうと湯気を立てる湯畑を背景に、家族三人が寒さに身を縮めながらフレームに納まっている。真緒を両親が左右から挟む構図は、この渡来家の繋《つな》がりの強さを物語っているように見えた。

「奥田君は」お父さんがおもむろに口を開いた。「真緒のその、事情についてはどのくらい知っているのかな」

傍らの真緒の表情を窺《うかが》うと、真緒も心細げにこちらの顔色を確かめているところだった。心配するなと目で頷きかけ、僕は正面に向き直った。

「里子だったことは十年以上前から知っています。その後養子縁組をしたこともです」

きのう今日の付き合いではないのだと強調したかったのだが、生意気な言い方になってしまったかもしれない。

「そうか。ではそれ以前のことは？」

「知りません」

「里親として真緒を育てるようになった経緯については？」

「……いえ、それも」

静かだが迫力ある声に気圧《けお》され、僕の返答は尻《しり》すぼみになっていく。

「お父さん、人に詰問《きつもん》する癖は直すって話じゃなかった？」

真緒に諌《いさ》められ、養父は「すまん」と小さく詫《わ》びた。

「真緒、話してなかったの？」そう尋ねたのは彼女の母だった。黙って首を横に振る娘に、お母さんは質問を重ねる。「記憶のことも？」

記憶？

ふてくされたような顔をして、真緒はもう一度首を振る。

「あの、記憶というのは」

僕が尋ねると、今度は両親が顔を見合わせた。

みりみりと音がするほど深く煙草を吸い、お父さんが煙と一緒に耳慣れぬ言葉を吐き出した。

「全生活史健忘」

「はい？」

「全生活史健忘。いわゆる記憶喪失なんだよ、真緒は」

「お父さん」すかさずお母さんが口を挟んだ。「お医者さんは『その疑いが高い』と言っただけでしょう。真緒はきっとちがうわよ。何か別の、もっと軽い症状よ」

「いいかげんに現実から目を逸《そ》らすのはやめろ。ほかにどんな病名が当てはまるというんだ」

耳を厚い膜で覆《おお》われてしまったみたいだ。言い合う声が遠く聞こえる。

ゼンセイカツシケンボウ——。

音の意味が頭の中に入ってこない。

いや、わかってる。全生活史健忘、だ。前にテレビのドキュメンタリー番組か何かで見たような覚えがある。でも、真緒が本当に記憶喪失だというのか？　こんなに元気でしっかりしているのに。

「浩介、お父さんの話を鵜呑《うの》みにしないでね。私、病気なんかじゃないから」

真緒が低く囁《ささや》く。相手を思いやる余裕をなくしてしまった僕は、頷《うなず》くよりも先に尋ねていた。

「記憶、ないの？」

真緒は唇をわずかに動かすのだが、声が詰まって言葉にならない。様子を見かねたのか、お母さんが取りなすように言った。

「ちゃんとしてるのよ、ちゃんとしてるの。学校の成績はみるみる良くなっていったし、自分で好きな仕事見つけてお給料だってもらっているんだから、ちゃんとしてるのよ。子供の頃のことを憶えていないというだけで、ほかはしっかりしてるの」

「あの、憶えていないというのは、どこからどこまでのことですか？」

僕の質問にはお父さんが答えた。

「生まれてから保護されるまで、だよ」

「保護？」

「真緒が一人で歩いているところを、私が保護したんだ。十二年前の五月二日のことだよ」

事情が呑み込めず戸惑っている僕に、真緒が説明してくれた。

「お父さん、警察官なの。警部補。来年の春で定年だけど」

そうか、髪の短さや詰問調の話し方はそのためか。

今日は仕事とは関係ないはずだとわかっていても、自然と背筋が伸びてしまう。

「あ、警察の方だったんですか。では、真緒――さんの身寄りは……」

「手掛かりはない。真緒という名前は保護したあとで付けたものだし、年齢も真緒の自己申告と、知能テストや診察に当たった医師の推定を参考にしただけのものなんだ。推定年齢十三歳で保護されるまで、どこで何をしていたのかまったくわかっていないんだよ」

お父さんはそう答え、短くなった煙草をガラスの灰皿で揉《も》み消した。

僕は、真緒がこの家で里子として育てられていたことは昔から知っていた。が、それだけでは何も知らないのと同じだった。生き別れか死に別れかはともかく、彼女の生みの親の存在は明らかになっているものだと勝手に思い込んでいたのだ。まして、真緒に過去の記憶がないなどとは想像もしていなかった。

指の隙間《すきま》から砂が零《こぼ》れ落ちるように、名前と年齢という彼女を定義するものが消えていく。真緒は同い年ではないのかもしれないし、別の名前があるのかもしれない。僕は彼女の何を信じればいいのだろう。

僕のとなりで、真緒が両親に語りかけた。

「何も思い出さなくてもかまわないって、だいぶ前に結論出てるはずでしょ。『真緒は真緒。それでいいじゃないか』って、お父さんも言ってくれたよね。今日まで彼に秘密にしていた私も悪いけど、でもどうして、いまさらそのことを持ち出して私たちが付き合うことに反対するの？」

「反対してるわけじゃないの」言葉を選びながら、お母さんが答える。「真緒が好きな人を連れてきてくれたことは、すごくうれしいのよ。奥田さんが真緒のことを大切にしてくれていることもわかってる。二人の気持ちは痛いほど伝わってるのよ」

「じゃあ、ちょっとは祝福してくれてもいいでしょ。なんでこんな雰囲気になってんの」

　お母さんが丸い顔を苦しげに歪ませる。

「心配なのよ」

「また子供あつかいする。私に小さい頃の思い出がないからって、それのどこが問題なの？　十五の子供じゃないんだよ、今年で二十六だよ、私も彼も——」

　そこまでまくし立てたところで、真緒の言葉がぴたりと止まった。秘密を知ってしまった僕の心変わりを心配したのだろうか。

リビングが静まりかえった。聞こえるのは台所の換気扇の回転音だけだ。その音だけは場違いなほど安定していて、それがかえってこちらの心をかき乱す。

僕が知っていたはずの真緒のアイデンティティは変化してしまった。いや、なくなってしまった。年齢も名前も誕生日も、知っているはずのことのほとんどはあっけなく消えてしまった。

「浩介……」

いじめられていた頃にさえ見せたことのない心細げな眼差《まなざ》しで、真緒は僕の横顔を窺っている。

胸が締めつけられる。

不安に駆られた真緒を見ているだけで、僕はたまらなくなってくる。すぐさま不安を取り除き、彼女の笑顔を取り戻したい。

そうなのだ。僕は真緒を愛している。

簡単なことだ。僕は真緒の経歴や名前を好きになったんじゃない。気まぐれだけど努力家で、少々間の抜けたところもあるが心優しい、そんな真緒が好きなんだ。名前や過去という砂は零れ落ちてしまったが、それでも手のひらには愛情がしっかりと残っている。

「正直なところ、ショックです」口を開くと、三人の視線が集まった。うわずる声を抑え、僕は続ける。「記憶がないという状態は、僕には想像もつきません。それでも、僕の気持ちに変わりはありません。驚きはしましたけど、怯《ひる》みはしません。お父さんがおっしゃったとおりで、僕にとっても真緒さんは真緒さんです」

真緒が安堵《あんど》の吐息を漏らすのが気配でわかった。彼女の手を握りたいが、さすがに養父母の前では気が咎《とが》める。

嘘《うそ》偽りのない気持ちを述べたつもりだが、真緒の両親は浮かない表情のまま互いに目配せしあっている。

その様子を見て、真緒の眼差しにまた不安の影が差す。

「ねえ、わかってくれるでしょ。心配なんてしなくていいんだから」

灰皿の中の吸殻に目を落とし、お父さんは答えた。

「でもな、真緒」低く、静かな声だった。「他人様《ひとさま》に迷惑はかけられないよ」

ますます、言葉の意味が理解できない。迷惑はかけられない？　この人たちは、真緒の何をそこまで不安視しているんだ。お母さんだって、「子供の頃のことを憶《おぼ》えていないというだけで、ほかはしっかりしてる」と言っていたじゃないか。それに、相手に微塵《みじん》も迷惑のかからない恋愛関係なんてあるはずがない。そんなことはわかった上で僕は真緒と付き合っているんだ。

　言葉に詰まった真緒は、我に返るとすかさず反撃に転じた。

「なにそれ？　私のこと、お父さんの所有物みたいに言わないで」

「そんな言い方はしていない」

「してるよ」

　お父さんがぐっと身を乗り出した。

「真緒、お前のことは実の子以上の気持ちで育ててきたけどな、お父さんもお母さんも、そこまで思い上がった考えを持ったことは一度もないぞ」

　張りのある声と眼差しの迫力に気圧されながらも、真緒は言い返す。

「大切に育ててくれてきたことはわかってるよ。たくさん心配もかけてきた。でも、好きな人とのことまであれこれ面倒見てもらうつもりはない」

　娘の言葉にお父さんは呻《うめ》くようなため息で応《こた》え、きつく腕を組んだ。今度はいくら待っても、次の言葉は出てこない。

「交渉決裂、ってことだね」真緒が唐突に立ち上がり、僕の腕をひっぱった。「私は、誰が反対しても浩介と一緒だから。じゃあね、駅まで送ってく」

「真緒……」

呼び止めた母親には一瞥《いちべつ》もくれず、「晩ご飯いらない」とだけ言うと、真緒は僕の腕を取ったままずんずんと玄関に向かう。

「あの、お邪魔しました。またあらためて――」

真緒が力まかせに玄関の扉を閉めてしまったので、僕の挨拶は途中で断たれてしまった。


「ぐはー。胃《い》の腑《ふ》に火がつくわ」

やや酸味のきついワインをあっという間に喉《のど》の奥に流し込んだ真緒が、コースターに叩《たた》きつけるようにグラスを置いた。

マグロのカルパッチョをつつく手を止め、僕は真緒と自分のグラスに透明の液体を注いだ。ボトルは早くも空になりつつある。

「畜生。なんだか無性にくやしいなあ」

僕は舌打ちし、最後のひと切れを口の中に放り込んだ。

「飲め飲め。そして食え、若者」

テーブルに片肘《かたひじ》をついた真緒は、笑っているようなふてくされているような不思議な顔でワインを勧めてきた。

打ちのめされた気持ちのまま鎌ヶ谷駅の近くまで歩いてきた僕たちは、気分直しに入った小さなイタリアンレストランで沈没してしまった。

僕が引っ越したあとで出来た店のようで、入るのはもちろん初めてだ。テーブルが六つだけの小さな構えで、片田舎の店らしくピザとパスタ以外のメニューはあまり充実しているとはいえない。ウェイトレスは高校生くらいの女の子で、厚地の前掛けの下には私物らしいジーンズを穿《は》いている。また、鏝《こて》の跡を残して地中海風に仕上げた壁には、所々に緑青色のカビがうっすらと浮いていさえする。ひと言で言えば、ぱっとしない店だ。だが、とりあえずそれはどうでもいい。飲めさえすればいいのだ。

「おれはてっきり、歓迎されるもんだと思ってたよ」

「うわ、『てっきり』って単語、日常会話で久しぶりに聞いた」

「ああ、使わない言葉だなあ」酔いが回り始めていた僕は、適当に相槌《あいづち》を打った。

「てっきり歓迎されるもんだと思ってたら、ばっさり切り捨てられた」

「だははははは」

真緒も酔っているらしい。

たぶん有線放送だろうが、店内にはコンボジャズが流れている。詳しくはないので曲名はわからない。

七時を過ぎて、テーブルが埋まりはじめた。郊外という場所柄、家族連れが目につく。

「うちの親はね、私のこと子供だと思ってるの」真緒が口を尖《とが》らせた。「一人娘だから、まだまだ家で飼ってたいんでしょ。まあ、その気持ちに付け込んでずっと実家に住んでる私もどうかと思うけど、でもあの態度はおかしいでしょ」

「たしかにおかしいよ。……本人たちには何も言えなかったけど」

ウェイトレスが皿を運んできた。

「黒豚のグリルになりまーす」

料理が運ばれてきたついでに、先ほどとはちがう種類のワインをまたボトルで注文する。明日の朝はひどいことになりそうだ。それ以前に、上井草の部屋までたどり着けるのだろうか。実家に泊まるという選択肢もないことはないが、そうすると明日着ていくスーツに困ることになる。

長い長い帰路を頭の中でたどっていると、真緒がぶつぶつ言いだした。

「仕事持ってるし、少ないけど家に毎月お金入れてるし、こうやってお酒だって飲める。子供じゃないだろって」愚痴りながら、軽く焦《こ》げ目のついた豚肉を口に運ぶ。

「あ、これおいしい。ほら、浩介も。でね、お正月に行った草津、めんどいから予約を親にまかせてたのね。そしたら三人一部屋。十六ならともかく、私今年で二十六ですよ？　母親と二人の旅行ならわかるけど、なんでこの年で父親と一緒の部屋で寝なくちゃいけないのよ。差額分出すから別の部屋にしてよって」

「あっれえ、真緒じゃん」

しゃがれた品のない声に、僕は斜め後ろの席を振り返った。

錆色《さびいろ》の髪の女が、席を立ってこちらへ近づいてくる。上下とも黒のダボダボのスウェット、ノーメイク、たるんだ頬、眉毛《まゆげ》はどこかに置き忘れてきたようだ。傷《いた》んだ髪の根元だけが黒い。誰だ？

「やっぱ真緒だよ。うっわ、なつかしー」女は無遠慮に僕の顔を覗《のぞ》き込んできた。「あれ？　あれだよねぇ、奥田？　へー、なに、付き合ってんのぉ？」

思い出した。この忌々《いまいま》しい喋《しゃべ》り方、人を小馬鹿《こばか》にしたような目つきは潮田だ。真緒の髪にマーガリンを塗ったあの女だ。真緒も記憶を蘇《よみがえ》らせたらしく、またたく間に不機嫌な顔になって豚肉にざくりとフォークを突き立てると、無言で口の中に放り込んだ。

「うしろ失礼しまーす」

ほかのテーブルに皿を運ぶウェイトレスが、嫌悪感《けんおかん》を隠そうともせず潮田の後ろ姿を一瞥する。この子とは話が合いそうだ。

真緒にとって潮田は言葉を交わすのも不本意な相手だろうと思い、僕がしぶしぶ口を開いた。

「潮田――さん？」

「今は山本だけどね。で、あっちがウチの息子。亜呂覇《あろは》っていうの。かわいいっしょ」

指差す先を見ると、母親と同じ髪の色をした七つか八つくらいの男の子が、目の前に置かれたピザには見向きもせずに携帯ゲームに没頭している。薄ら笑いを浮かべた口元は親に瓜《うり》二つで、土足を椅子《いす》の縁にのせているあたりに山本家の素敵な教育方針が窺《うかが》われる。

「で、なに？」スウェットの袖《そで》から出した指先をテーブルにつき、潮田がねちっこく尋ねてくる。「付き合ってんの？　二人」

僕がきっぱりと頷《うなず》くと、潮田はただでさえ耳障《みみざわ》りな声をさらに大きくした。

「へえー。嫌われもん同士でくっつくんだぁ。超ウケる」

もう一回マーガリン塗ってやろうか、と思った。キレる子復活だ。しかし、真緒に目で制せられた。これほど敵愾心《てきがいしん》剝き出しの目つきを見たのは中学のとき以来だ。

「真緒ってさあ」にたあっと、品のなさの煮染《にし》めのような笑みを浮かべて潮田が尋ねる。「今でも裸で外歩いてんの？」

「ちょっと――」

僕が咎《とが》めようとすると、潮田のスウェットのポケットで携帯電話がけたたましくメロディを鳴らし始めた。周りの客がぎょっとして顔を上げる。潮田はこちらに断りもなくフラップを開き、電話に出た。

「もしもし？」

ギラギラとした光沢を放つピンクの携帯電話を耳に押し当て、潮田は僕たちのテーブルに尻《しり》をのせた。

「あの、お客様」ウェイトレスが潮田の正面に立ち、歳《とし》に似合わぬ毅然《きぜん》とした態度で言った。「おそれいりますが、携帯電話は外でお願いします」

潮田は女の子と目を合わせることもなくひらひらと手を振り、出口に向かいながら通話の相手と話し続けた。

「あ？　んーん、なんか怒られた。え？　べつにぃ。大丈夫じゃん？」

話しかけ方も話の切り上げ方も、徹底的に無礼で無神経な奴《やつ》だ。

「クソ女」

僕は鼻息荒く豚肉をほおばった。なるほど真緒が言うとおり、甘みのある脂身《あぶらみ》にマスタードソースがほどよく効いていてうまい。いや、感心している場合じゃない。

「ヤなのと会っちゃったね」

真緒がワイングラスを傾けた。細く白い喉が動く。

「店、変えようか」

「ううん、こっちから逃げることはないよ。出てくのはあっち」

真緒はそう言うと、テーブルの端のオリーブオイルの瓶を手に取った。その視線は潮田の息子を捉《とら》えている。

「うふふふふ」

楽しそうな笑い声を発しながら瓶の蓋《ふた》を外すふりをし、巧みに先端を隠しながらもう片方の手のひらにオリーブオイルを振り掛ける仕草をする。

真緒の意図を察した僕は「こっちにも」と手を差し出し、オリーブオイルを分けてもらう真似《まね》をした。

「あはは」

「うふふ」

レンゲ畑を駆ける恋人同士のような声を発し、僕たちはそれぞれの頭にオリーブオイルを塗りたくるふりをした。これだから、酔った勢いというのはおそろしい。

瓶一本分は塗ったのではないかという頃合いで様子を窺うと、潮田の息子が自分のテーブルの瓶に手を伸ばしているところだった。さすが、中学のうちに学力で真緒に抜き去られたバカ女の息子だ。

三分後、通話を終えて店内に戻ってきた潮田が、「ギィー、ヤーッ」と叫んだ。十二年ぶりに聞く怪鳥音が、ワインに赤く染まった僕らの耳に心地よく響いた。

「亜呂覇それ、シャンプーじゃないって！　あーもうっ、帰って洗わないとダメじゃん。すいませーん、余ったのお土産で。あーっ、このトレーナー高いやつなのに。ほら、立って。ゲームやめなさい。行くよ、ほらっ」

仕事用以上の笑顔でピザを紙パックに収めて会計を済ませたウェイトレスは、出口で潮田親子を見送るとクルリとこちらに向き直り、興奮した面持ちで親指を立ててみせた。僕たちも、それに応えてグラスを持ち上げる。

店内には元の落ち着いた賑《にぎ》わいが戻り、しゃがれた声にかき消されていたジャズの音が戻ってきた。

「『親の因果が子に報い』なんてなことを申しまして」真緒が、落語家のようにおどけた口調で言った。「潮田、私の意趣返しに気づいてくれたかな。でも、ああいうタイプは自分が人にしたことはコロッと忘れてそうだから、マーガリン事件もやられたことだけ都合よく憶《おぼ》えてそう。もしまたアレと会ったら、今度は息子の頭にマヨネーズかけてやろう」

真緒には、思いのほか執念深いところがあるようだ。気をつけよう。

過去の亡霊を自らの機転で追い払った真緒は、背中を丸めて心置きなくくだを巻いた。

「今日までね、うちの親って味方だと思ってた。でもなに？　あの言い方。私ってそんな欠陥品ですかね」

「あれはないよなあ」

「一人娘が男の人連れてきたんでびっくりしたっていう気持ちは想像つくけど、今日のあの態度は門前払いと一緒じゃない」

「あれはないよなあ」

「『あれはないよなあ』以外に言うことはないのか」

「すみません」

頭を下げながら、僕は腹の底から対抗心がふつふつと湧《わ》き上がってくるのを感じていた。真緒の両親がどれほど思慮深い人か知らないが、ろくな説明もないままに僕と真緒の気持ちを変えさせようとするやり方には反対だ。もっとも、きちんと説明されたところで僕の気持ちは揺るがないが。

「浩介」

ふいに、真緒が真顔になった。

「ん？」

「保護される前のこと、秘密にしててごめんね」

咄嗟《とっさ》には言葉を返せなかった。

十年前のあの物思わぬ時代でさえ口にしなかったほどなのだから、記憶がないということは真緒の心に相当な重荷となっているのだろう。ならば僕にできることは、その重荷を少しでも軽くしてやることなのではないだろうか。

「いやほんと、びっくりしたよ。こっちの記憶まで吹っ飛ぶくらいびっくりした」

「まさか」

つまらない冗談に、真緒は笑ってくれた。調子に乗ってさらに軽口を叩《たた》く。

「ほかに話しておきたい秘密があるんなら、今だぞ」

「んー、ないよ？」

微笑を浮かべ、思わせぶりに目を逸《そ》らす。

「ほんとに？」

「さあ、どうでしょう。でも、好きな相手にも内緒にしておきたいことって、誰だってあるんじゃない？」

「そうかな？」

「うん。たとえば『ニュー・シネマ・パラダイス』のケースになんのＤＶＤが入ってるか、秘密にしておきたい人もいるでしょ、きっと」

「それって……」

ピンポイントで思い当たる節がある。

じいっとこちらの目を見据え、真緒が続けた。

「捨てちまえとまでは言わないけど、せめてもうちょっと上手《うま》く隠せよと、そんな感想を抱きながらそっと棚に戻しましたよ。『へー、トルナトーレとか好きなんだー』ってケースを手に取った瞬間の私の純情を、できることなら返してほしい」

「いや、ほんとに好きなんだよ、あの映画。通常版持ってるのにスペシャルエディションヨン買っちゃうくらい好きなんだから。いまスペシャルエディションの方は実家にあって――」

「言い訳はいいから、まあ飲みなさい」

真緒がワインボトルを持ち上げた。一も二もなく僕はグラスを差し出す。

手元があやしくなってきたようで、傾けたボトルの口がグラスに当たってがちんと鳴った。

「大丈夫か？　本格的に酔っ払ってる真緒って、初めて見た」

「親に渋い顔されて、これが飲まずにやってられっか。あーあ、今日はいい日になるはずだったのに」

それについては同感だ。

「でも、ほどほどにしときなよ。真緒が潰《つぶ》れたらおれ、どんな顔して家まで送ってけばいいんだよ。大事な一人娘をベロベロに酔わせて逃げてったなんて思われたら、一生お父さんたちに許してもらえないと思う」

「酔ってねえっすよ。ベロベロじゃなくてせいぜいヘロヘロぐらいですよ」地元の荒っぽい言い回しが出てくるあたり、真緒はやっぱり酔っている。「それにね、浩介が未婚の私に対して酒を飲ませる以上の行為を日常的に行っているのをですね、知ったらうちのお父さん、未来永劫《えいごう》浩介を許さないと思う」

痛いところを突かれ、僕は椅子から腰を浮かせた。

「だ、だって、そういう行為は合意の上のことじゃないか」

「浩介、声でかい」

「ごめ……」座りなおす。「ヤバイなあ。なんとかこう、誠実なところを見せて印象点を上げていかないと」

「そんなまどろっこしいことしてたら、お許しが出る頃には私、おばあちゃんになっちゃってるよ。なんといっても相手は二十五の娘と一緒の部屋で寝るのになんら抵抗感を持たない溺愛《できあい》パパさんですから」

「じゃ、どうすりゃいいんだよいったい」

ワイングラスを置き、真緒がいっそう深く背中を丸めた。内緒話を打ち明けるような仕草につられて僕が耳を寄せると、真緒はそっと囁《ささや》いた。息が熱い。

「いっそ、駆け落ちする？」

「かけ、駆け落ちっすか？」

真緒は小さく頷《うなず》き、真顔で続けた。

「考えてみたらわが国のお役所って、親の同意なんかなくても婚姻届は受理してもらえるんだよね。お堅いようで意外と小粋《こいき》なのかも」

役所が小粋かどうかはわからないが、目前で閉ざされた扉が再び開かれたような気にはなる。

「駆け落ちかあ。そういう選択肢、あったことさえ思いつかなかった」

「いいでしょ？　いまの浩介のワンルームは狭すぎるから、もうちょっとだけ広い部屋借りて、一緒に住むの。共働きになるから、家事は分担しないとね」

「洗濯と掃除はおれかな。こう見えてけっこう、アイロン掛けは上手かったりする」

「ご飯作るのは基本的に私ね。帰りが遅くなる日は、浩介自身でどうにかしてもらうしかないけど」

「ま、そのへんはお互い融通利《き》かせよう」

話していると、本当に明日にでも駆け落ちしてしまおうかという気分になってしまう。こういう大事なことは一年か二年くらい相手をじっくり見てから決めるのが筋かもしれないが、今日この場での決断も二年後の決断も、結局は同じものになるのではないだろうか。

いかにも悪だくみ中という風にニッと笑い、真緒が言った。

「おー、楽しみになってきた。うちの親、びっくりするだろうなあ」

真緒の実家にあった、草津旅行の写真が目の前をよぎる。

「だけど、真緒のご両親に悪いな」

「そういうことは考えないの。私だって浩介のご両親から息子を攫《さら》ってくドロボーみたいなもんなんだから。わかった?」

「はい」

写真を頭の隅に追いやり、僕は真緒と暮らす毎日というものを想像してみた。

夜、人けの少ない住宅街の道を一人で歩く。もちろん体はへとへとだ。やがて、我が家にたどり着く。けっして高級ではないが小ぢんまりとしていて雰囲気のいい賃貸マンション。そういうことにしておこう。エレベーターを降り、玄関のチャイムを押す。インターホン越しの短い会話。ほどなく鍵《かぎ》が内側から外される音が聞こえ、ドアが開く。その先にいるのは真緒。濡《ぬ》れた手をエプロンで拭《ぬぐ》っている。なにか、うまそうな食べ物の匂《にお》い。

エクセレント! なんと幸福な生活。

あるいは、逆のパターンもあるか。仕事疲れで軋《きし》む体に鞭《むち》打ってバスタブを擦《こす》っている僕。取り込んだ洗濯物はリビングに放り投げたまま。畳むのは風呂《ふろ》掃除のあとだ。脱衣所の携帯電話が鳴る。いつもの彼女の声。「いま駅前のスーパーなんだけど、今夜なに食べたい?」

「手長エビのトマトクリーム」

真緒の声に、僕は現実に引き戻された。

「ん？」

メニューを開いている真緒が、少し咎《とが》めるような視線をぶつけてきた。

「聞いてなかったの？　何かパスタ頼もうって言ったんだけど。どう、手長エビのトマトクリーム。一皿は食べきれないから、半分こね。浩介には足りないかな？　あ、一五〇円増しで大盛りにできるんだって。それならお互いちょうどよくない？」

「じゃ、そうしよう」

すました顔で答えたが、ちょっとしたきっかけで踊りだしてしまいそうな気分だ。毎日、真緒に会える。いままでは仕事のあとに会うたび、遠い自宅に帰らなければならない真緒の終電の時間を気にしなければならなかったけれど、その心配もなくなる。同じ電車に乗って、同じ部屋に帰るのだ。

真緒の父の「他人様《ひとさま》に迷惑はかけられない」という言葉が多少は気にかかる。が、それがどうした。そんな迷いは力業でねじ伏せてしまえ。記憶について質問したいこともたくさんあるが、あの言い争いがあったばかりであわてて蒸し返すこともない。知る必要のあることは、生活の中でおいおいわかってくるはずだ。

たしかに、互いを好きになった二人が本来踏むべき手順からは外れているかもしれない。でも、かまうものか。「周囲から祝福される婚姻のためのチェックシート」なんてものが存在するのなら、今すぐ捨ててしまえ。なにせ相手は最初のデートにステーキレストランを選ぶ猛者《もさ》なのだから、そんなものを持っていたところで役に立つはずもない。

「よし、おれは捨てるぞ」

心の中の決意が、うっかり言葉になってしまった。

「何を捨てるの？　人生？」

「チェックシートだよ」

「チェックシート？　なんだろう。まあいいや、捨てなさい捨てなさい。おおいに捨てなさい」

真緒は偉そうに助言し、ワインを口に含んだ。

ともかく、中学時代よりもずっとにぎやかで楽しい毎日が始まりそうな予感がする。でも、まずその前に真緒を無事に家まで送り届けなければ。

＊

狭い階段を上って地上に出た僕たちの頬を、やわらかい風が撫《な》でていった。

春だ。

「『おめでとうございます』だって。窓口のお姉さんに祝福されちゃった。いい感じの人に当たってよかったね」

真緒の声がいつも以上に弾んでいる。

僕たちはつい今しがた、練馬区役所石神井庁舎の休日窓口に婚姻届を提出してきたところだ。手続きは思っていたよりも簡単で、昨晩からずっと身構えていた僕は拍子抜けしてしまった。

「ほんとに結婚しちゃったんだなあ」

この季節に特有の淡い青空を見上げて呟《つぶや》く僕に、真緒はひときわはしゃいだ声で答えた。

「うん、ほんとに結婚しちゃったんだよ。私、今日から奥田真緒だよ」

そうなのだ。となりに佇《たたず》むこの人はもう渡来さんちの娘さんではなく、わが妻なのだ。これは、責任重大だ。

ワインを飲みながら練った駆け落ち計画は、単なる酒の席の話では終わらなかった。翌日以降も話し合いは続き、やがて不動産屋を巡るようになり、婚姻届を入手し、もう一度真緒の実家に押しかけて渋い顔をされ、我が家でもいくらか苦言を呈された。それでも勢いが止まらなかった僕たちは、お互いの預金通帳を「いっせーの」で見せあい、真緒の残高の多さに黙りこくり、それぞれの学生時代の友人に証人としての署名と捺印《なついん》をお願いし、その際に真緒の大学時代のエピソードを聞かされて仰天し、婚約を上司に報告したところ目を丸くされ、引越しの手配と荷造りを進めた。そして今日、真緒の苗字《みょうじ》が渡来から奥田に変わった。

この一ヵ月ばかり、仕事をしているか真緒と相談しているか、あるいは誰かに頭を下げているかのいずれかで、休息らしい休息をとった記憶がさっぱりない。おかげで、来し方行く末について考える機会がろくにないまま、今日の日を迎えてしまった。

「ほんとに、結婚しちゃったんだなあ」

もう一度、同じ言葉を繰り返してみた。口に出せば少しは実感が湧《わ》いてくるかと思ったが、どうもそんな感じにはならない。やっぱり、時間をかけて準備をして、式もきちんと挙げた方がよかったのかもしれない。ホテルの広間で親戚《しんせき》や友人たちを前にケーキカットでもすれば、そこそこの実感は得られただろう。

真緒は「準備に時間もお金もかかるから、式なんてやらなくていい。指輪もいらない」と殊勝なことを言っていたが、それが本心とは受け取れない。春物のジャケットに丈の長いスカートというシンプルな格好で婚姻届を提出するだけではきっと物足りないはずだ。やはり、ウェディングドレスは着てみたいだろう。

数週間前のある夜、紙袋を提げて僕の部屋にやってきた真緒は、色とりどりの下着を紙袋から次々と取り出しては、「社販で三割引だったの。ほら、フリフリでかわいいでしょ」と戦利品自慢をし、僕をあきれさせたものだ。その真緒が「フリフリでかわいい」の権化《ごんげ》、ウェディングドレスに憧《あこが》れを抱いていないはずがない。

実家からの資金援助は受けられそうにもない状況だし、今回の駆け落ちだけでもずいぶんと貯金を使ってしまった。だから披露宴などは当面無理なのだが、せめて結婚指輪くらいは早いうちに用意したい。

そんな誓いをこっそり立てていると、傍らで真緒がなにやら携帯電話を操作している。

「どこに掛けるの？」

「ん、実家。一応報告しておかないと」電話はほどなく繋《つな》がったようで、とたんに真緒の声が尖《とが》ったものになった。「もしもし、あ、お父さん？　うん、私。え？　聞こえない。うん、そう、いま区役所。もう出してきちゃったよ。——ダメ、無理。変更効かないから。そんなことしたら戸籍にでっかくバツついちゃうよ。それでもいいの？」

なにやらおだやかでない気配が漂ってきて、僕は息を呑《の》んだ。

今日は日曜日なので、婚姻届の正式な受理は月曜に持ち越されるかもしれない。お義父《とう》さんが待てとおっしゃるのなら、今からでも取り返しに走ろうか。そういう弱腰な考えに囚《とら》われる僕とは対照的に、真緒は強気な姿勢を貫いた。

「そういうわけで私、今日から『奥田浩介夫人』ですから。住所？　お母さんが知ってるよ。冷蔵庫にも貼《は》ってあるでしょ？　それと、残りの荷物取りに何回か泊まりに行くかもしれないけど、生活の拠点はもうこっちだから。誰がなんと言おうともう、夫婦ですから。いうなればミセス奥田ですから。マダム奥田でもいいけど。じゃあ、『夫』から挨拶《あいさつ》がありますので」

真緒はそう言うなり、携帯電話を突き出してきた。

「えっ」

狼狽《ろうばい》する僕に、真緒はなおも携帯を押しつけてくる。仕方なく、僕は端末を耳に当てた。

「も、もしもし」

『ああ、奥田君』

低い声。苦虫を嚙《か》み潰《つぶ》したような顔が目に浮かぶ。

「あの、すみません。さっき、婚姻届を提出してきました」

『…………』

うわあ、怒ってる。

「すみません。その、順番が逆になってしまいましたが、本当にその、真緒さんを大事にしますので。ちゃんとあの、真面目《まじめ》に生活していきます。保険とか積立も、ちゃんと……」

僕はしどろもどろになり、気づけば繰り返し頭を下げていた。その様子を見て、部活に向かうところらしい高校生たちがクスクス笑っている。お前らにこの緊張感がわかるか。

『…………』

まだ黙ってる。お願いです。なんか喋《しゃべ》ってください。

「あの……」

『本当に、真緒でいいのかい？』

静かな問いかけが返されてきた。

「も、もちろんです。必ず真緒さんを幸せにしますハイ」

僕はまた、ペコリと頭を下げた。みっともないのはわかっているが、止められない。

『そうか』短い沈黙のあと、相手は言葉を続けた。『もし、何か困ったことがあったら相談に来なさい。それから、真緒が君に迷惑をかけると思うけど、許してやってくれるかな?』

「あ、はい、はい。や、もう、こちらこそ、ご迷惑をおかけしっぱなしでして。すみません、近々ご挨拶に伺いますので、また、そのときにでも」

都合二十回は頭を下げ、通話は終わった。パーカーの下でどっと汗をかく。

真緒が肩を震わせて笑っていた。

「はいごくろうさん。かっこ悪かったけど、かっこよかったよ」

どっちだ。

駐車場に停めてあったレンタカーに乗った僕たちは、目白通り沿いに適当なラーメン屋を見つけて昼食を済ませた。駆け落ちの計画が持ち上がってからというもの、二人の財布の紐《ひも》は僕の力ではこじ開けられないほど固く締められていて、チャーシューメンすら簡単には食べさせてもらえない有様だ。

「けち」

「はいはい。私の分あげるから、我慢しなさい」

チャーシューが僕の丼《どんぶり》に落とされた。

僕らは再び車に乗り、大泉インターチェンジのそばにあるホームセンターへと移動した。

きのうの引越し作業中に真緒が作ったメモには、脱衣所の足拭《ふ》きマットにはじまって、トイレブラシ、洗濯カゴ、ケーブルカバー、ベランダ用のサンダル、プランターや花の種まで、二十点以上がリストアップされている。

会計済みの商品を満載したカートを押してエレベーターを降りると、すぐ左手の一角に子供たちが群がっているのが目に入った。

独特のこもった匂いと小鳥たちのさえずり。ペットコーナーだ。団地のように区切られた上下二段のショーケースの中で、仔犬《こいぬ》や仔猫たちが愛くるしい寝顔を見せている。

「おー、犬がいる。ちょっと見てこう」

善福寺公園で僕たちの邪魔をしたやつの半分ほどの大きさのコーギーが、ちぎれんばかりに尻尾《しっぽ》を振りながらペット用のおもちゃにじゃれついている。僕の目は、そのおぼつかなげな動きに釘付《くぎづ》けになってしまった。

「あー。ほんとだ。犬だね」

真緒の言葉は素っ気なかった。「かわいい足拭きマットがなかった」と、先ほどからご機嫌が悪いのだ。

「なあ、ペット飼いたいなーとか、ちょっと思わない？」

「思わない」

即答された。

なにか、デジャヴのようなものを感じる。こういうやりとりがずいぶん前にもあったような。首を傾《かし》げる僕に答えを示したのは、真緒のひと言だった。

「浩介って動物好きだよね。中学の頃も一回、銀杏公園で犬を拾いかけてたし」

そうだった。思い出した。二年生の梅雨どきのことだった。学校からの帰り道、ダンボールに入れられた仔犬が二匹、か細い声であてもなく鳴き続けていたのだ。シベリアンハスキーの血が入った、不細工な雑種だったと思う。

僕が抱き上げようとすると、それまでうるさいくらいに楽しげに話しかけてきた真緒が、何が面白くないのかとたんにむくれた。

「やめなよ。ダニとかたかってそうだよ。たぶん、ちゃんと世話のしかた知ってる人が拾ってくよ。それにこの子、かわいくない」

そう、あの時の光景によく似ているのだ。それ以前にも仔猫を拾って育てるのに失敗したことのある僕は、泣く泣く二匹の雑種をあきらめた。犬たちがその後どうなったのかは知らない。真緒が言ったとおりになっていたらいいのだが。

僕は一匹の仔猫の姿を思い出し、なんとはなしに呟いた。

「そういえばあのロシアンは、どこへ行ったんだろうなあ」

「なに？」

「拾ったんだよ、猫。おれは中学生になってたのかな？　小学生だったかもしれない。とにかくそんな頃の話だったと思うけど。ロシアンブルーに似た雑種で、目が茶色かったような覚えがある。純血のロシアンはグリーンなんだけど。何日か飼ったから、あのロシアンもどきのことはよく憶《おぼ》えてる」

「ふーん。それで？」

興味があるのかないのか、真緒はそっぽを向いて尋ねてくる。

「かわいい仔猫だったよ。尻尾にうっすら縞《しま》模様があったけど、全体の毛は青みがかった灰色で。触ると、ビロードをもっと柔らかくしたみたいな感触がした。あれも銀杏公園に捨てられてたんだけど、おれを見上げて『にい』って鳴くんだ、真っ赤な口の中にちっちゃい歯を覗《のぞ》かせて。もう、コンマ数秒で恋に落ちたね」

「へー。運命の出会いって感じだね。で？」

少しは関心を持ったらしく、真緒がこちらの目を覗き込んでくる。

「その猫、だいぶ弱ってたみたいなんだよなあ。獣医に見せて薬なんかもらって、一生懸命世話はしてたんだけど、一週間かそこらでいなくなっちゃった。今だから言えるけど、泣いたなあ。ほら、猫は死期を悟ると姿を消すっていうじゃん。死んじゃったのかなあって思ったらもう、たまらなくなってビービー泣いた」

「優しいね、浩介は」真緒が顔を寄せてきた。「ねえ、ものすごく恥ずかしいこと言っていい？」

僕は周囲を見渡し、子供たちが動物に心を奪われているのを確かめてから頷《うなず》いた。

「小さい声でなら」

真緒は僕の耳元に口を寄せて「あのね」と言いかけ、よほど恥ずかしいのかいったん顔を引いた。

「なんだよ」

困ったような笑顔を浮かべてからもう一度顔を寄せ、真緒はそっと囁《ささや》いた。

「あのね、私、あなたと結婚してよかった」

ぞわぞわっと鳥肌が立ってしまった。なんと恥ずかしく、そしてくすぐったい台詞《せりふ》なのだろう。しかも、店の商品を全部買い占めてしまいたくなるほどうれしい。のぼせ上がった僕は、照れ隠しにまくし立てた。

「まあでも、仔猫に涙する純真な少年が、それからまもなく『キレる子』認定受けて変わり者の女子生徒としか喋れなくなるんだから、人生わかんないよなあ。うん、不思議だ。で、どう？　こういう逸話を踏まえた上で、ペット飼いたいなーとか、ちょっとは考えるようになった？」

「まったく」

鉄壁のディフェンスだ。しかし、もう少し食い下がってみよう。

「でも、せっかく『ペット可』の物件に引っ越したんだし、犬や猫は駄目でもせめて小鳥くらいなら」

「ダメ」

「なんでそこまで頑《かたく》なに？」

「だって、お金かかるし」現実的な理由を述べたあとで、真緒がふと視線を逸《そ》らした。「それに、ペットがいたら浩介の気持ちがそっちに持ってかれそうで、なんかヤなの」

続けざまのくすぐったい台詞に、僕は体の内側で悶絶《もんぜつ》した。これから毎日、こんなやりとりが交わされるというのか。身がもたないではないか。

「じゃあ、犬猫はだめでも、ハムスターとか亀《かめ》とかなら？」

僕もしつこい。

結局、後日ペットショップに熱帯魚でも見に行こうということで、手打ちとなった。

「どっこいしょっ！」

「なんだその重々しげな掛け声は」

間近から抗議の視線を浴びながら、僕は抱え上げた真緒を落とさないように足を踏んばった。じっさい、見た目よりも重い。

右どなりの部屋のドアがわずかに開き、中からこちらを窺《うかが》う気配がした。ヤバイ、恥ずかしいところを見られた。花嫁を抱き上げて部屋に入ろうなんて、柄にもなく気取ったことを考えたのが馬鹿《ばか》だった。

「あー！」ドアの内側から出てきたのは三歳になるかならないかくらいの男の子だった。室内を振り返り、大声で呼びかける。「ママー、カゼひきさんのおねえちゃんがいるー」

「あっ、ちがうよボク。お姉ちゃん元気元気」

真緒が取り繕う間もなく玄関から顔を出した三十前後の女性が、不自然なこちらの体勢を見たとたんサンダルをつっかけて外廊下に出てきた。

「あの、大丈夫ですか？　手伝いましょうか」

状況からして、急患か何かと勘違いしたらしい。

抱きかかえられている真緒が、僕の首に両手を回したまま愛想笑いで答えた。

「あ、いえ、お構いなく。ええと、ちょっとした貧血ですので。よく起こすんですよ？　あ、そうだ、今度となりに越してまいりました奥田と申します。よろしくお願いします。またあらためてご挨拶《あいさつ》に伺いますー」

「はあ、どうも。平岩です」

賃貸マンションの玄関扉は小さく、僕はドア枠にガツガツと背中をぶつけながら真緒を室内まで運び入れ、外廊下に置いた荷物を取りに戻った。先ほどの女性が呆気《あっけ》にとられた様子でまだそこに立っていたので、「どうも」と会釈《えしゃく》して逃げるように室内に戻る。

夕方の薄暗いダイニングキッチンで、真緒が電気を点《つ》けることも忘れて両の頬に手をあてていた。

「うっわー、見られたー。恥ずかしかったー。やっぱりまだお姫様だっこは市民権得てなかったー。どうしようあの人、私たちのことバカ夫婦だと思ってるよ」

「まあ、徐々に誤解を解いていこう。悪い人じゃなさそうだし」

僕は心の動揺を押さえつけようと、灯りを点けてとりあえずコーヒーを淹《い》れた。

「あちっ」

コーヒーに口をつけて小さく跳ねた真緒が、いつもの寄り目でカップに息を吹きかける。

このダイニングキッチンを含めた三部屋は引越し会社のダンボールに占拠され、まっすぐ歩くこともままならない状態だ。しかも明日からはまた仕事なので、片付くのがいつになるのか見当もつかない。

「あー、疲れた」三分の一ほど飲んだところでカップをテーブルに置き、僕は和室のガラスサッシに目を遣《や》った。空が桃色に染まっている。「役所行って昼メシ食べて、店二軒回ったらもうこんな時間だ。最近、こういう休日ばっかりだな」

「うん。でも、これからはちょっとずつ落ち着いてくるでしょ。――空、きれいだね」

椅子《いす》から立ち上がった真緒は、床のダンボールを器用に避けて和室のサッシを開けた。耳を澄ませば遠くの街道の騒音が聞こえるが、都内にしてはずいぶん静かだ。

値札がついたままのサンダルをつっかけ、僕たちはベランダに出た。昼の温《ぬく》もりが残る手すりに両手を置き、真緒が西郊の夕暮れを見渡す。

「ちょっと北に行けばもう埼玉だけど、ここもやっぱり東京なんだね。家ばっかり」

四階からの眺めは、真緒が言うとおり住宅で埋め尽くされている。その隙間《すきま》にごくわずかに、畑も残っているようだ。樹木もいくらか見えるが、雑木林や屋敷森ではなくて公園に植林されたものだろう。農地がまだまだ多い鎌ヶ谷の風景とは、ずいぶんな隔たりがある眺望だ。

いろいろと不動産屋を回ってみたが、この部屋を借りる決め手になったのがこの眺めと日当たりの良さだった。幅の狭い生活道路を挟んだ南側には二階建ての住居が続いており、視界を遮る物が少ない。ただ、眺めがいい分駅からは遠く、西武池袋線の大泉学園駅から徒歩で十分と、その点ではやや不満がある。

僕の希望は別にあったのだ。横須賀《よこすか》線の西大井駅から歩いて七分の物件。家賃も値ごろで、恵比寿と新宿、それぞれの会社の最寄《もよ》り駅までの所要時間が二十分以内かつ乗り換えなしという点が魅力的だった。しかし、そこは真緒のお気に召さなかった。部屋が東向きの一階で日当たりが悪く、「なんか全体にジメッとしてる」というのがその理由だ。こちらの「恵比寿までたったの二駅だぞ」という反論にも、真緒が首を縦に振ることはなかった。

一度気に入らないと感じたものに対して真緒が見方を改めることがないのはわかっているので、僕は早々に説得をあきらめた。そして、たどり着いたのがこの四〇二号室だった。窓から降り注ぐ陽光にたちまち心を奪われた真緒は、畳にぺたんと座るなり「ここ。ここがいい。あと五千円安ければここがいい」と言い張った。陽射《ひざ》しに目を細めつつも案内の不動産屋にプレッシャーを掛けることを怠らないあたり、じつに真緒らしい。

そういう経緯があって、個人的には第一希望ではない物件に住むことになってしまった。もっとも、築わずか三年とほぼ新築同様だし、エレベーターやモニター付きのインターホン、温水洗浄便座、乾燥機能付きの浴室と、快適な設備もひととおり揃《そろ》っていて、その点では申し分ない。正直、共働きだからこそ住めるグレードの部屋だ。だが、以前住んでいた上井草よりも通勤時間が若干長くなってしまったのは個人的にいただけない。サラリーマンにとって、電車二本分の早起きはとてつもない苦行だ。

「いい部屋見つけられてよかったよね」

真緒と僕の感想には、いくらかずれがあるらしい。だけど考えてみれば、真緒にとっては通勤時間がこれまでのほぼ半分になったのだから、やはりそういう感想にもなるのだろう。僕だって高幡不動《たかはたふどう》から上井草に引っ越したときは、こんなに都心に近くていいのだろうかと思ったくらいなのだから。

そもそも、西大井だろうが大泉学園だろうが、あるいは高幡不動だろうが、住む所はどこだっていいのだ。通勤に二時間かかったとしてもかまわない。大事なのは、そばに真緒がいてくれることだ。

桃色から濃紺に変わっていく空を見上げていると、真緒が体を寄せてきた。

「浩介がいま何考えてるか、当ててみせようか」

「うん？」

「『明日からまた黄色い電車に揺られて会社に通うのかよー。もう西武線は飽きたー』、とか？」

まあ、当たらずも遠からずだ。

昼間はうっすらと汗ばむほどの陽気だったのに、今はもう風が冷たい。部屋に戻ろうと振り返ると、真緒がぽつりと言った。

「ここが、『ついのすみか』かあ」

その言葉に、僕は吹き出した。

「真緒、『終の住処』って言葉の意味、わかってないで使ってるだろ。じいちゃんばあちゃんの台詞だよ、それ」

「え？　あ、そうかな」真緒が照れ笑いを浮かべる。わが妻ながら、かわいい。「うん、結婚したからって、安心して急に歳《とし》とったら駄目だよね。どうする？　私がぷくぷく太ってったら」

僕は体を曲げ、真緒の背中からふくらはぎまでを眺め回した。

「ん、まあ、率直な意見を述べるならば、全体的にもうちょっと肉がついてたほうが好みだなあ。こう、ぷにっと」

「うわ、エロオヤジがいる」

「今ごろ正体見破ったか」

真緒が、大げさな身振りで両腕を胸の前ですくませた。

「どうしよう。私、おそろしい性獣のもとに嫁いでしまったのね」

性獣とまで言われたからには、こちらも遠慮してはいられない。

「はっはー。籍を入れたらもうこっちのもんだ。ペット飼うのを却下された腹いせに、今夜は足腰立たなくなるまで真緒を愛玩《あいがん》するぞう」

「キャーッ」

なるほど、僕たちはバカ夫婦だ。

3

当初は僕の担当だった観賞魚の世話は、いつの間にか真緒の役割になっていた。すっかり情が移ったようで、彼女は五匹のリュウキンに名前までつけていた。

「でね、二匹いる赤のうち、でっかいのがマイクでちっちゃいのがアル。赤白まだらの三匹はきっと兄弟だと思う。このうち二匹はデニスとカール。で、仲間から離れて一人でのっそり泳いでるこいつが、ブライアン。五匹揃ってザ・ビーチ・ボーイズ」

白黒時代のテレビの司会者のように、真緒は広げた手で金魚を指し示した。

「……はあ」

「ね、一度そういう風に映ったらもう、ビーチ・ボーイズにしか見えないでしょ？」

「ね、と言われてもなあ」

なんでも、真緒は金沢さんという大学時代の友人に勧められたのがきっかけでビーチ・ボーイズを聴きはじめ、瞬《またた》く間にハマってしまったそうだ。元リーダーのブライアン・ナントカとかいう外タレの来日公演にも、その金沢さんと一緒に行ったのだという。本人は「すっごくいいコンサートだった」と目を輝かせるのだが、僕がいなくても彼女は彼女なりに世界を広げていたということが、なんだか妙にくやしい。

などと拗《す》ねてみたところで、こちらはビーチ・ボーイズの曲などろくに知らないのだから話にならない。ビートルズと同じ時代に活躍したアメリカのバンド、という程度の知識くらいはあるが、それ以上となるとサーフィンとかカリフォルニアとか、そんなイメージがうっすらと浮かぶだけだ。金魚に名づけたデニスだのカールだのというのはバンドメンバーの名前らしいが、そう説明されてもさっぱりわからない。

ネオンテトラあたりを買うつもりでペットショップに行った僕たちだったが、それが金魚に変更になったのは真緒の何気ないひと言がきっかけだった。

「この金魚、かわいくない？」

水底を思わせる青い光の中、真緒が指差す先では二十匹ほどのリュウキンが大きな鰭《ひれ》をゆったりと動かして泳いでいた。

「そっすね。初めてなら熱帯魚よりか金魚の方が飼いやすいっすね。テトラ、繁殖させようと思ったらかなり厄介だし」

直前までネオンテトラの美しさを滔々《とうとう》と語っていた店員が、真緒のひと言であっさり言を翻《ひるがえ》してリュウキンを推しはじめた。

真緒に気に入られたい気持ちがあるらしく、ニキビ面の若い店員は「テトラはもう一時の人気は終わってますね。飼いやすいってだけで面白味はないし。これからはやっぱ金魚でしょう。いっすよ、和み系で」とまで付け加え、彼女の見立てをしきりに褒めたたえた。人の妻にいそいそとすり寄り、あまつさえ僕のチョイスを手厳しく批判するとは何事か。

真緒が、店員の攻勢に苦笑しつつ目で「どうする?」と尋ねてきた。

この店員の手のひらの返し方はどうかと思うが、ここまで熱心に勧められては断るのも気が引ける。それに、僕としてもどうしても熱帯魚でなくてはならない理由はなかったし、リュウキンのゆったりとした泳ぎ方はたしかに見ていて心が和む。

そういうわけで、店員が厳選した五匹は我が家の新しい水槽の中でビーチ・ボーイズもどきを結成させられることとなった。

空白の期間が長かったとはいえ十年あまりも前からの仲なのだし、過去のことも聞かされ、受け入れてきた。だから真緒のことなら彼女の養父母の次によく知っていると思っていたのだが、実際に一緒に暮らしてみると新たな発見がいろいろとあって興味深い。彼女には機嫌がいいと鼻唄《はなうた》を歌う癖があって、しかもレパートリーは一曲のみ、というのも結婚後に知ったことのひとつだ。

こちらに背を向けて畳に寝そべっていた真緒が、呟《つぶや》くようにハミングを始めた。何度か同じフレーズを繰り返し、駆け上がるように音が高くなる部分で声がひっくり返る。

いつもの曲だ。たしか、初めて聴いたのは善福寺公園からの帰り道だったはずだ。あれから何度も耳にしているうちに、「ふーんふふんふふん」から始まる軽快なメロディを僕も覚えてしまっていた。

「なんだ、起きてたのか」

僕の声に、鼻唄がぴたりと止まった。掛けてやるつもりでいた毛布を畳んでいると、真緒が寝返りを打った。

「掛けて掛けて。足がちょっと冷たい」

ガラス越しのやわらかな光でできた陽だまりの中、真緒はこちらの顔を見上げて甘い声でねだった。背中を丸め、いかにも寒そうに小さな素足をすり合わせる。感心するほど甘え方が上手《うま》い。

毛布ごと覆《おお》いかぶさりたくなるのを自制し、僕はおおげさにため息をついた。

「そんなに寒いんならベッドで寝れば？　ここ、掃除機かけたいし」

頬にできた畳の跡を手でこすりながら、真緒はさらに甘える。

「んー、動くのめんどくさい。前みたいにお姫様だっこで運んで」

僕はバカで単純で救いようのないお人よしだ。両手を差し出されただけで簡単に蕩《とろ》かされてしまうのだから。

「あれは腰にくるから、今日だけ特別な。でもレスリングの選手じゃないんだから、さすがにその体勢から持ち上げるのは無理だわ」

僕は毛布を捨て、真緒を引き起こした。

立ち上がった真緒は僕の首に腕を回し、「めんどくさい」の言葉とは裏腹に軽やかな身のこなしで飛び乗ってきた。重い。

両腕で抱きかかえたままダイニングキッチンに出ると、真緒が「テーブル一周」とリクエストしてきた。

「へいへい」言われるままにエクステンションテーブルの周りを一周する。「ところで真緒さあ」

「ん？」

「しょっちゅう鼻唄で歌ってる曲、あるじゃん。あれ、なんていうの?」

「そんなにしょっちゅう歌ってる?」

「うん。こっちまでメロディ覚えるぐらい」

　体の向きを斜めにしてドア枠をすり抜け、真緒を抱いた僕は和室ととなり合った寝室に入った。六畳間の大部分はダブルベッドに占められていて、床などないに等しい。レースのカーテンを透かす午前の陽光は、折り重なった枕《まくら》やシーツの乱れまで容赦なく照らしている。

　明るい陽射《ひざ》しの中で見ると、室内には「そのためだけの部屋」という気配が夜よりも濃厚に漂っているように感じられる。何か卑猥《ひわい》な物が置いてあるわけでもないが、十八歳未満立ち入り禁止にしてもいいくらいだ。

　ドレッサーのチェアにつまずかないように用心して歩き、僕はようやくのことで真緒をピンク色のシーツの上に横たえた。

「おっと」

　首に回した腕を真緒がほどいてくれなかったので、体を起こそうとした僕はつんのめるようにして顔を引き寄せられた。

　互いの鼻が触れるほどの近さに戸惑っていると、真緒が喉《のど》の奥で笑った。

「なんだよ」

「素敵じゃないか」

「は？」

「鼻唄の曲名。『素敵じゃないか』っていうの。ビーチ・ボーイズの曲」

互いの吐息を唇に感じながら、僕たちは会話を続けた。

「そうか。よっぽどビーチ・ボーイズ好きなんだな。でもわりとゆったりしてて、あんまりサーフィンっぽく聴こえないけど」

「あ、浩介もビーチ・ボーイズはサーフィンだけって思ってる？　青白ストライプの半袖《はんそで》シャツを着て夏やクルマや女の子のことを歌う陽気なお兄ちゃんたちだと思ってる？」

「ちがうの？」

文字どおり目の前で、真緒は首を左右に振った。

「ぜんぜんちがう。サーフ・ミュージックのバンドだったのは初期の話。ビーチ・ボーイズこそ二十世紀最高のポピュラー音楽であって、リーダーのブライアン・ウィルソンこそ二十世紀最大の天才だよ。一度『ペット・サウンズ』聴きなさい。『素敵じゃないか』以外の曲は地味でとっつきにくいけど、気味が悪いほど美しくて心揺さぶられるアルバムだから。もちろん、『ペット・サウンズ』だけじゃなくて『トゥデイ』とか『オール・サマー・ロング』とかのサーフィン／ホットロッド路線も好きだし、ブライアンが完全に壊れる前に作られたシングルの『グッド・ヴァイブレーション』なんてまさに音の万華鏡で――」

「話長くなるんなら首、離してくれない？　この体勢しんどい」

腿《もも》の震えを堪《こら》えながら僕は訴えた。が、真緒は聞き入れてくれない。

「自分から振ったんだから、話は最後まで聞きなさい。で、その『グッド・ヴァイブレーション』はもともと――」

「そう来るなら実力で黙らせてやる」

そう告げると、僕は真緒の唇を唇で塞《ふさ》いだ。もごもごという声が静まったところで唇を離してみると、真緒がまた喉の奥で笑いながら僕の頭を引き寄せてきた。短い口づけを、二度三度と繰り返す。

僕はベッドに片脚で乗りかかり、唇を相手の首筋に押しつけた。柔らかい髪に鼻先をくすぐられ、甘い香りに胸が高鳴る。が、真緒はこちらの肩を押して体を遠ざけてしまった。

「はい、そこまで。掃除機かけるんでしょ」

「そんなあ。せっかくグッドなヴァイブレーションになりかけてたのに」

「あのね、晴れた日曜の朝だよ。しかも雨上がりで空気がキラキラしてる。カーテン閉めたらもったいないじゃない。こんなときは寝っ転がってひなたぼっこしながら、眠るか眠らないかのところでとろとろしてるのが最高の贅沢《ぜいたく》なの」

「安上がりな贅沢だな」

「浪費は罪です。そして貯蓄は正義です」

「左様ですか。じゃあ、しょうがないから掃除機かけてくるわ」

「いってらっしゃい。あ、本棚の隅とかも丁寧に掃除してよ。この前、綿ぼこりが固まって西部劇みたいに転がってたよ。それから、一時間経《た》っても部屋から出てこなかったら起こしにきてね」

「へいへい」

和室に戻り、なかなか鎮《しず》まってくれないグッド・ヴァイブレーションをもてあましながら掃除機をかけていると、寝ているはずの真緒が寝室から出てきた。

「どうした？」

「やっぱり、畳の上がいい。そこで寝るから適当に掃除終わらせちゃって」

あいかわらず、気まぐれだ。

デブの男女が大仰に歌う退屈そうな劇、という偏見はあらためよう。オペラはすごい。

*

劇場を出てからもずっと、僕の耳の中ではソプラノやバリトンが朗々と歌い続けていた。真緒の耳にも歌手が居座ってしまったようで、新宿の駅ビルで食事をしている間も電車に揺られている間もずっと、心ここにあらずという顔をしていた。

「あんなに迫力あるものだとは思わなかった」

大泉学園駅のペデストリアンデッキを下りたところで、真緒が思い出したように言った。

「休憩含めて三時間半くらいあったのに、あっという間だったな。土曜の午後が丸々つぶれたけど、行ってよかった」

「ねー。タダであんなにすごいもの観《み》せてもらって、ちょっと申し訳ない気分。買ったら二万以上する席でしょ？　会社の人にちゃんとお礼言っといてね」

僕が「フィガロの結婚」のチケットを手に入れたのは、週の半ばのことだった。得意先のために融通した席が先方の都合でキャンセルされたそうで、社内を巡りめぐって僕のところにたどり着いたのだ。

帰宅した僕はさっそく、真緒に「行く？」と尋ねてみた。以前渋谷で食事をしたときに、彼女がオペラか何かのCDを試聴していたことを思い出したからだ。あのときは比較的空《す》いているからという理由でクラシックのフロアを待ち合わせ場所に選んだだけのことで、とりたててオペラに関心があるわけではなかったらしいのだが、好奇心の強い真緒は生のオペラと聞いて「行く」と即答した。

そういうわけで、僕たちは初台にある新国立劇場に初めて足を踏み入れることになった。

久しぶりのまともな休日だったので、本心を言えば家でのんびりしていたかった。しかし、得意先のイベントの手伝いに「召集」されたりゴルフコンペの裏方をやらされたりと、僕はゴールデンウィークの半分を仕事でつぶしてしまっていた。そればかりか五月二日の真緒の誕生日さえも時間がとれず、コンビニエンスストアのケーキとシャンパンだけで簡単に済ませてしまった。また、溜《た》まった疲労のせいで家事の分担もサボりがちで、部屋に帰れば寝てばかりいた。

そういう事情があったので、真緒への埋め合わせは是が非でもしておきたいところだったのだ。結果として埋め合わせは大成功で、僕自身の気分転換にもなったのだから申し分ない。

「チケットのことで思い出したけど、その後弊社との取引はどんな塩梅《あんばい》ですか？」

車二台がすれ違えるかどうかという狭い商店街を歩きながら、僕は真緒に尋ねた。

「んー、大人だよね、田中さんは。なんていうか、そつがない。でもなー、性別も歳《とし》もちがうから、やっぱりちょっと感覚にズレを感じちゃうんだよなー。私は浩介のほうがいい」

街灯の白い光の下で、真緒が首を傾《かし》げる。

「すみません。私事で御社の担当を外れてしまいまして」

結婚を機に、僕は「ララ・オロール」の担当から外れた。営業部員が取引先の担当者と結婚するケースは社内ではそうめずらしくもなく、その場合はほぼ例外なく担当を外されるのだ。

「そのことにつきましては、どうぞお気遣いなく」真緒は僕の腕を小突く。「ねえ、せっかく非日常的な体験をしてきたところなんだから、仕事の話はやめようよ。もうちょっと劇の余韻に浸りたい」

「そうだね」

「あ、キャベツ安い」真緒は、青果店の黄色い灯りの中で足を止めた。「ちょっと買っていくね。そうだ、明日の朝のパンがないんだった。卵も切れかけてなかったっけ」

青果店とそのはす向かいのスーパーを巡る間に、僕たちの荷物はみるみる増えていった。

オペラを観に行くのだからとジャケットと革靴でそれなりに身ぎれいにしていた僕は、両手に提げたレジ袋の重みによって一気に日常に引き戻されてしまった。フィガロや伯爵《はくしゃく》夫人たちの歌声が、耳から遠のいていく。

「八百屋さんがまだ開いててよかった。週末の買い出し、これで済んじゃったね」

スーパーを出た真緒は、長ネギのはみ出たレジ袋を持ち上げながら顔をほころばせた。非日常の余韻に浸りたいと言ったそばからド日常の真《ま》っ只中《ただなか》へと勇躍飛び込んでいくのだから、女というのはよくわからない。

団子屋の角を左に折れ、税務署前の通りを進む。商店街には日中の賑《にぎ》わいがいくらか残っていたが、こちらは人通りも少ない。

「あー、まだ耳の中で音楽が鳴ってる」まだいくらか非日常的感覚も残っているらしく、真緒が身震いした。「序曲でいきなり先制パンチ食らったよね。『あ、知ってる曲だ』っていう点でまず鳥肌立って、あの『さあ、愉快なお話の始まりですよ』っていう華やかな曲調にワクワクさせられて。後半のどんでん返しはちょっと唐突すぎるけど、でもやっぱり、モーツァルトって最高の天才だと思う」

「あれ？　ビーチ・ボーイズのブライアン・ナントカが最高だったんじゃないの？」

にわかモーツァルトかぶれを揶揄《やゆ》してやると、真緒は平然と首を振った。

「ブライアン・ウィルソンは二十世紀最高。モーツァルトは十何世紀だったかで最高。矛盾はしてないよ」

「はあ」

十字路を折れると、僕たちのマンションが見えてきた。外廊下の照明を見上げたら、「やれやれ、帰ってきた」という言葉が自然と口をついて出た。

「帰ってきたね」

真緒の声に、実感が強まる。

入居しておよそ二ヵ月。僕と真緒はだいぶ夫婦らしくなってきた。

駆け落ちを決める前、お義父《とう》さんからは「他人様《ひとさま》に迷惑はかけられない」などと不吉な言葉を聞かされたが、その言葉は杞憂《きゆう》にすぎなかった。真緒と結婚してよかった。話していても黙っていても、真緒といるだけで心が満たされる。毎晩マンションに帰るのが楽しみでしかたがない。だから悔いなど、一緒になってからというもの一瞬たりとも感じたことはない。

そんな具合なので、喧嘩《けんか》も数えるほどしかしていない。その原因にしたところで、「外で夕飯を済ませてくることを連絡してくれなかったから、炊《た》いたご飯が余ってしまった」というような、傍からはじゃれ合いにしか見えないようなものばかりだ。

不安があるとすれば、彼女の記憶のことだろうか。

僕なりにいろいろと考えてみた結果、真緒がもし全生活史健忘であるならば、必ずしも記憶が戻る必要はないという結論に至っていた。

本やインターネットで調べただけの付け焼刃の知識にすぎないが、全生活史健忘の原因は過度のストレスや深刻な精神的打撃にある場合が多いようで、震災などの激甚《げきじん》災害の被災者などにもまれに見られるらしい。一方、漫画やドラマにときおり見られるような「頭を打って記憶を失う」というケースは実際には少ないようだ。

じつのところ、医学の世界でも全生活史健忘のメカニズムはまだ充分には解明されていないらしい。ただ、受け入れがたいほどのショックに直面した人の脳が、記憶に一種の鍵《かぎ》を掛けてしまった状態が全生活史健忘なのではないか、という推定はなされているようだ。

忘れてしまいたいと脳が拒絶するほどの出来事を、無理して思い出す必要などない。

僕はそう思う。真緒本人も、自分が保護される以前のことをあえて知ろうとはしていない。真緒にとっては養父母こそがかけがえのない父と母であり、中学以降こそが実人生なのだ。ならば、それでいいじゃないか。いつかのお義父さんの言葉ではないが、真緒は真緒なのだ。


「真緒」

「ん？」

「今日、楽しかった？」

「すっごく」しっかりと頷《うなず》いてから、真緒は僕の名を呼んだ。「浩介」

「ん？」

「ありがとね。ゴールデンウィークの疲れも残ってるのに、遊びにつれてってくれて」

「せっかくのタダ券だしね」はぐらかしたあとで、少し真面目《まじめ》に答える。「これからも、いろんな所に出掛けような。いろいろ見て、いろいろ体験しよう」

そう。思い出の数が少ないのなら、二人で増やしていけばいい。

「うん。でも、無理はしないでね。私は家でゴロゴロしてるだけでも幸せなんだから」

真緒はそう言って僕をいたわってくれる。我が妻ながら、よくできた奥さんだ。ならばこちらも、それに見合ういい旦那《だんな》さんにならなくては。

カシャリ、と足元で音がした。見ると、真緒が持っていたレジ袋がアスファルトの上に落ちている。生卵がいくつか割れてしまったようで、パックから滲《し》み出した黄身が街灯の光の下で透けて見えた。

「おい、卵割れちゃってるぞ」

声を掛けると、呆然《ぼうぜん》と見下ろしていた真緒は夢から醒《さ》めたような顔をして袋を拾った。

「あー、もったいない」悲しげな声で嘆いてから、おもむろに袋の中身を覗《のぞ》き込む。

「漉《こ》し器通せば卵焼きに使える、よね？」

よくできた奥さんという評価は、いましばらく保留しておきたい。

＊

「言いたいことはわかるんだよ、そりゃ」

僕の話をさえぎり、田中さんは麦焼酎《しょうちゅう》の水割りを啜《すす》った。口の端から酒が零《こぼ》れ、あわてておしぼりで拭《ぬぐ》う。

頭上の小型テレビから、お笑い芸人のくどい関西弁が降ってくる。何か面白いことを言っているようだが、到底笑える気分ではない。

「でも奥田さあ」おしぼりを丁寧に畳みながら、田中さんは続けた。「どこの会社から給料貰《もら》ってるのかってところを、もう少し冷静に考えろよ。クライアントを第一義にって、そりゃ言うけどさ、社内に敵作って得することはなんもねえぞ。媒体部には媒体部の言い分があるんだし、連中にヘソ曲げられて板挟みになって、苦労すんのはお前だろ」

ぬるくなっていくグラスを握ったまま、僕は酔いにまかせて反論を試みた。

「だけど、取引先に喜んでもらえて売上げも増えるなら、会社にとってもプラスじゃないですか。そこを否定されたら、何を励みに仕事すればいいのかわからないですよ」

田中さんが僕のためを思って忠告してくれていることはわかっている。今朝も胃薬を飲んでいたにもかかわらず、「奥さん出張でいないんだろ」と飲みに連れてきてくれるその気遣いは、本当にありがたい。だけど、素直に頷く気にはなかなかなれない。

ゆるめたネクタイをさらにゆるめ、田中さんは首をぐるりと回した。

「いや、だからね、頑張るなとは言ってないよ。ただ、ほかの部署と足並み揃《そろ》えるのも努力のうちですよと、そういうことだよ。ほら、社長の口癖あるじゃん、『会社は一艘《そう》の船です』っていうの。ウザイけどさ、たしかにそういう面もあると思うんだよな。いろんな漕《こ》ぎ手がいる中で、一人だけ超ハイペースで漕いでても船はまっすぐ進まないだろ？　ガッツンガッツン周りに櫂《かい》ぶつけて水しぶき上げてたら、そりゃほかの船員は気分悪いよ」

「じゃあ、ちょっと汗かけばできることをできないと取引先に嘘《うそ》つくのが、会社としては正解なんですか？」

「虫も殺さぬような顔してるくせにお前、言うようになったねえ」

酒と煙と脂《あぶらし》が染み込んで黒ずんだカウンターに片肘《かたひじ》をつき、田中さんが僕の目をじっと覗き込んでくる。

「……すいません」

「俺に謝れとは言ってねえよ」田中さんはハツに齧《かじ》りつき、歯でぐいと串《くし》から引き抜いた。くちゃくちゃと咀嚼《そしゃく》しながら続ける。「ただな、言っとくけどな、櫂の動きがばらばらな船に、荷主が安心して荷物預けてくれると思う？　お前がクライアント入れ込みすぎて媒体部と喧嘩ばっかしてたら、巡りめぐって結局はクライアントに迷惑かかんだよ。それじゃ本末転倒だってことはわかるだろ？　それと、嫌な言い方になるけどさ、社内の人間関係に保険は掛けとけよ。お前だってそのうち媒体部に異動になるかもしれないんだから」

「…………」

言葉を返せなかった。

手羽先の脂が炭火の上ではぜる音が聞こえる。

わかっている。田中さんの言っていることは正しい。僕は取引先に入れ込みすぎるあまり、社内にいらぬ波風を立てている。それに、こういうやり方が身についてしまった原因もわかっている。「ララ・オロール」だ。真緒とあれこれ画策して媒体部の人間をやり込めたことで妙な自信をつけた僕は、知らず知らずのうちに傲慢《ごうまん》になっていたのだ。それが目に余ったから、田中さんはわざわざ僕を連れ出して注意してくれたのだろう。

申し訳ないし、素直に反省できない自分が恥ずかしい。田中さんの真意は僕にもわかっている。もっと大人になれと言ってくれているのだ。それなのに僕は、真緒と力を合わせてやり遂げた仕事を否定された気になってふてくされている。自分でもあきれるほどの小僧ぶりだ。

「そうですね」と「いいと思います」しか言えない「お供の若手」からは脱皮できた

のではないかと自負していたのだが、つまるところ僕は「周りが見えていない若手」になっていただけのことだった。問題点が置き換わっただけで、小僧は小僧のままだ。

真緒のところに帰りたい。

心からそう思った。

的確な助言が得られるわけではない。前向きな言葉でハッパをかけてくれるわけでもない。それでも、真緒の顔を見たい。僕たちの部屋に真緒がいて、いつものように言葉を交わすだけでいい。どんなにくさくさした気持ちでいても、僕はそれだけで救われる。

だけど、真緒はきのうから関西に出張中だ。河原町と三宮で新店のオープンが控えているそうで、宣伝を兼ねて打ち合わせに赴いているのだ。明日になれば帰ってくるが、その明日が果てしなく遠く感じられる。

「なんて顔してんだよ、おい」田中さんが僕の背中を叩《たた》いてきた。「媒体の方はともかくさ、ウチの部内ではお前もわりと評価されてんだよ。おっさんどもが昔の自分を見るような目になってて笑えるわ」

「はあ。そうですか」

「うわ、気の抜けまくった返事だな。なんだよ、奥さんと離れ離れなのがそんなに寂しいか」

「いや、そんなつもりは」

「お前が奥さんのこと考えてるときは、目を見ればわかるんだよ。中学生みたいな純朴な眼差《まなざ》しになるから」田中さんはそう言ってニヤニヤする。「ちょうどいいや、けっこうシリアスな話になっちったから、そろそろ気分変えようぜ。あれ？　なんだよ奥田、酒がぜんぜん減ってないじゃん」

僕はあわててグラスの中の焼酎を呷《あお》った。

中身を空けると、ここ数日の疲労と酔いが一気に押し寄せてきた。狭く煙たい焼鳥屋の店内が、水飴《みずあめ》のようにぐにゃりと横に伸びる。

麦の水割り、おかわり二つね、と勝手に注文し、田中さんが肘でつついてきた。

「で、どうなのよ、新婚生活は？」

「いや、新婚といってももう籍入れて三ヵ月ですから」

「でもなんかこう、あるだろ？　心浮き立つ瞬間みたいなの」

独身のこの人は結婚願望が強いらしく、折に触れのろけ話を強要してくる。だからといって「おはようのチュー」や「おやすみのチュー」を日課にしていることを素直に話せば、腹いせに串でつつかれるにきまっている。

レバーの串を手にしたまま、僕は日常の光景の中で差し障《さわ》りのない部分を抜き出してみた。

「うーん、そうですね。やっぱり家に帰ってきたとき、彼女が鼻唄《はなうた》歌いながら台所で料理作ってるのを見たりすると、一緒になってよかったなと——」

「くあーっ。いいなあ」背中をバンバン叩いてくる。痛い。「じゃあ、あれはやった？　裸エプロン」

気難しげな顔で焼鳥の串をひっくり返していたオヤジが、ちらりとこちらを見てまたすぐ火に目を戻した。

「そんなAVみたいなこと、やるわけないですよ」

じつは、やった。でもそのことは黙っていよう。うっかり口にすれば詳細を根掘り葉掘り尋ねられるにきまっている。

「なんだ、やんないのか。でも、いいなあ、鼻唄歌いながら晩メシ作ってくれる嫁さんかあ。で、渡来さんって料理の腕はどうなの？　毎日食わせてもらってんだろ？」

真緒は結婚後も職場では渡来姓で通しているので、田中さんもそれに従って旧姓で呼んでいる。

「まあ、ちょっと薄味かなとも思いますけど、一人暮らしの経験がない割にはなかなかうまいです。ただ、出がけに何食べたい？　って聞かれて肉じゃがって答えたはずなのに、帰るとカレーができてたりとか、そういう予測不能な気まぐれを起こすんで、そこはどうにかしてほしいんですけど」

話していると、真緒の手料理が食べたくてたまらなくなってくる。カレーでも肉じゃがでもいい。真緒の味付けのものを腹いっぱい食べたい。

「そういえば奥田、顎《あご》の線がちょっと丸くなってきたよな。あーちくしょう、この野郎、のろけやがって」自分からのろけ話を催促しておきながら、田中さんは僕に当たる。「だけどすげえよな。新規の取引先に昔の同級生がいたなんて、それだけでも冗談みたいに劇的だよな。一パーセントもないだろ、そんな確率。しかも、付き合いはじめたと思ったら半年かそこらで駆け落ちだろ？　いまどき駆け落ち。あれは衝撃だったよ。お前にそんな行動力があったなんてなあ」

「まあ、勢いです」

「いいな。いいな。俺にもちょうだい、その無鉄砲な勢い」口を尖《とが》らせてそう言うと、田中さんは水割りをひと口飲んだ。「だけどお前さ、勢いあるのは結構だけど、ちゃんと渡す物は渡した方がいいんじゃないの？」

「渡す物、といいますと？」

「指輪だよ、結婚指輪。俺はお前、打ち合わせのときでも相手のそういうとこ、ちゃんとチェックしてんだよ。渡来さんの右手、前まで嵌《は》めてた指輪してないだろ」

「あ、言われてみれば」

たしかに結婚前とはちがい、手を繋《つな》いでも指に硬い物が当たらなくなっていた。

「旦那さんね、言われてみればじゃないよ。あれは待ってんだよ。指空っぽにして、お前から指輪プレゼントされんのを。そんくらい気づけ」

「……すいません」

「俺に謝れとは言ってねえよ。あー、なんでこんなに鈍感なお前が結婚できて、俺はできねえんだろうなあ」

「不思議ですよね」

たぶん、細かいことに気がつきすぎるからだと思う。

「なあ。なんだろうな、職種がよくないのかな。広告代理店っていうと派手そうだけど、交通広告なんて、実態はひたすら地味な仕事だもんなあ。テレビ広告みたいな華やかな世界じゃないと、女に対する訴求力が弱いよな。あ、でもそれは奥田も一緒か。じゃあ、お前にあって俺にないものって、なんなの?」

田中さんのぼやきタイムが始まってしまった。

まるで生産的でない上司の話に相槌《あいづち》を打ちながら、真緒はもうホテルに戻っただろうか、明日の帰りは何時頃だろうかと、僕はそんなことばかり考えていた。

『もしもし、私。電車乗ってるのかな？　いま、三宮のホテル。お風呂《ふろ》から出てきたとこなんだけど、もー、疲れたー。まだ六月なのに、関西ってなんでこんなに暑いの？　関係ないけどこのホテル、すごくベッド狭い。部屋のダブルベッドが恋しくなってきた。それはいいとして、ちゃんとご飯食べてる？　朝晩コンビニ弁当じゃやだめだよ。時間読めないけど、明日中には帰るからね。そういうわけで明日も早いし、寝ます。じゃあね、おやすみ』

携帯電話には、真緒からのメッセージが残されていた。録音時刻は十時過ぎ。焼鳥屋のカウンターで田中さんが過去の女たちへの恨み節を並べていた頃だ。

暗く物寂しい道をよたよたと歩きながら、真緒の声を繰り返し聞く。今からでも電話を掛けて直接話したいが、もう十二時近いので相手は寝ているだろう。

マンションのエントランスにある集合ポストから郵便物を取り出し、エレベーターの階数ボタンを押したところで壁にもたれかかってしまった。思っている以上に酔っているらしい。やっとの思いで部屋にたどり着いた僕はスチール製のドアを開けた。

小さな玄関に足を踏み入れると、閉じ込められた昼の熱気が全身を包んだ。床に寝そべりたくなるのを堪《こら》え、ダイニングキッチンの照明を点《つ》けて水を飲む。真緒のいない部屋は静かで、水槽のエアーポンプの音がいやに耳についた。

エアコンと風呂の沸かしなおしスイッチを入れ、部屋着に着替えようと寝室に入ったところで膝《ひざ》が揺れはじめた。すがりつくようにダブルベッドに倒れ込む。焼酎《しょうちゅう》がまだたっぷり体に残っているようだ。

横になったままふうふうと息を吐き、目だけを動かして部屋を見回す。

ふと、隅に置かれたドレッサーが目に留まった。これまであまり関心を払っていなかったが、あそこには真緒の小さなアクセサリーケースが置いてあったはずだ。

プレゼントを待っているにちがいないと田中さんは断定していたけれど、真緒の気持ちはどうなのだろう。参考までに真緒の好みとサイズを確かめておくのもいいかもしれない。

絨毯《じゅうたん》を這《は》って近づいた僕は、ドレッサーの前で胡坐《あぐら》をかいた。化粧水の瓶や口紅に紛れるように置いてあったはずのアクセサリーケースを探すが、なぜか見当たらない。抽斗《ひきだし》の中にしまったのだろうか。

少しためらいを覚えたが、結局は酔った勢いで抽斗を開けてしまった。僕だって無断でDVDケースの中身を点検されたのだから、これでおあいこだろう。

三段ある抽斗のうち、いちばん下の抽斗にそれは入っていた。革張りの薄いケースを取り出し、蛍光灯の下で蓋《ふた》を開く。

指輪が四つにネックレスが三本。僕は男なのでよくわからないのだが、二十代の女性にしては控えめな数のような気がする。もっとも、ここにあるのはお気に入りだけで、「二軍」を実家にごっそり蓄えているという可能性も捨てきれないが。ケースの中をざっと見たところ、デザインとしてはシンプルで、どちらかといえばかわいらしいものが多いのではないかと思う。

ためしに指輪をひとつ取り出して自分の薬指に嵌めてみた。第一関節はなんとか通ったが、そこから先には進みそうにもない。抜けなくなったら真緒に何を言われるかわからないので、取り返しがつかなくなる前に指から引き抜いた。

ケースを元の位置に戻そうとしたとき、妙な物が抽斗の奥に見えた。銀行の封筒だ。かなりの厚みのあるものが二通、置かれている。

持ち重りのする封筒の中を覗《のぞ》き、僕は我が目を疑った。

一万円札の束が入っている。銀行の帯封で結束されているということは、百万円だ。ほかにも一万円札が十数枚収められている。

どうしてこんな多額の現金が部屋にあるのかと戸惑いながら、もう一通の封筒を手に取る。こちらにもやはり百万円の束が入っていたが、それだけではなく真緒の預金通帳まで入っていた。いくらか後ろめたさは覚えたものの、ここまで見てしまった以上は後には引き返せない。

通帳に印字された取引内容を見て、僕はしばらく瞬《まばた》きするのも忘れてしまった。二百万円あまりあった預金の大半が先週のうちに引き出され、残高はわずか十万円になっていた。

携帯電話を手に取った。が、メモリーの中から真緒の番号を呼び出したところで、掛けるのは思いとどまった。もう深夜でもあるし、酔っている状態で性急な判断はしないほうがいい。

僕は気持ちの整理をつけられないまま、携帯電話に保存しておいたメッセージをもう一度再生した。

『もしもし、私。電車乗ってるのかな？　いま、三宮のホテル――』

いつもと変わりない、耳をくすぐるような甘い声。それがかえって僕を不安にさせる。

彼女の口からは、預金を引き出すなどとはまったく聞かされていなかった。真緒はどうしてそんなことをしたのだろう。どうして隠していたのだろう。そして、この金をどうするつもりだったのだろう。

夜中に何度か目を覚ました。朝になっても、封筒はドレッサーの中にそのままの形で置いてあった。酒くささの残るため息をついて抽斗を閉じると、僕はコーヒーを飲んで部屋を出た。肉体的にも精神的にも、胃に固形物を入れる余裕はなかった。

仕事が手につかないまま、焦《じ》らすような緩慢さで時間が経《た》っていく。

携帯電話に真緒からのメールが入るようになったのは日暮れ頃からだ。

〈ただいま新神戸からのぞみに乗車🚄　おみやげはプリン♪　帰るの10時くらいになると思うので、晩ごはんてきとうに食べちゃってください〉

〈京都停車どすえ。となりで部長爆睡中　(－_－)ZZ〉

〈新横浜までキタ！　もうちょっとだ！　けど、📱も私もバッテリー切れそう…〉

最初のメールに〈了解〉と返信した以外には、僕は返事をしなかった。何も知らずに気楽なメールを送ってくる真緒に、どう答えていいものかわからなかったのだ。

十時半近くになって、部屋のインターホンが鳴った。

「ただいまー。あー、我が家の匂《にお》い」

玄関に入ると真緒は何よりも先に僕にキスし、それから深呼吸をした。旅行鞄《かばん》を床に置き、スーツのままダイニングキッチンの椅子《いす》にすとんと座る。

「やっぱり関西は暑いねー。地の底から湧《わ》き上がってくるような熱気がした。あ、これおみやげ。定番だけど神戸プリン。大きい方は会社に持ってくやつだから、開けないでね」紙袋から箱を取り出し、真緒は僕の顔を見つめる。「ごはん、何食べた？」

「ん、ああ、駅前で牛丼《ぎゅうどん》食ってきた」

「またお肉。じゃあ明日の晩ごはんは魚料理ね。あ、そうだ。御社の大阪支社の人と会ってきたよ。関根さんていう四十くらいの人。知ってる？」

「知らない」

ぞんざいな受け答えに、真緒が首を傾《かし》げた。

「どうしたの？　風邪でもひいた？」

ひとりでにため息が漏れた。三日ぶりの我が家にくつろぐ彼女を問い詰めなければならないのかと思うと、どうしても気が滅入《めい》ってくる。しかし、知ってしまった以上は避けずに話しておかねば。

「ちょっと、見てほしい物がある」

「え？　なになに？」

何も知らず身を乗り出す真緒を残し、僕は寝室に入った。ドレッサーの中から封筒を取り出し、ダイニングキッチンに引き返す。

「これ、なんだけど」

テーブルの上に並べられた二通の封筒を目にすると、真緒の表情は見る間に硬くなっていった。

「ちがうの」

首を横に振りながら、真緒はかすれた声で言った。

「何がちがうんだ？」

真緒は小さい顔に強引に笑みを浮かべる。

「やだなあ。人のドレッサー勝手に開けたんだ。まさか浩介、私がいない間に化粧して遊んでたんじゃないよねえ」

「ごまかさないで、ちゃんと答えてくれよ。こっちも抽斗開けたことは謝るから」

頭を下げた僕から視線を外し、真緒は深緑の土産袋を意味もなく見つめた。いくら待っても、答えは返ってこない。

「これ、貯金下ろしたんだよね?」仕方なく、こちらから話しかける。「『貯蓄は正義』なんて言ってたのに、こんなにたくさん何に使うつもりだったんだ? 一生懸命働いて、節約して貯《た》めてきたお金だろ」

「……べつに、悪いことして稼いだお金じゃないんだからいいんじゃない? 何に使っても」

勝ち気な言葉とは裏腹に、真緒はこちらに目を向けようとはしない。

「引き落としもできない百万単位の買い物って、どんなんだよ。だいたい、部屋なんかに現金置いといたら危ないよ。盗まれちゃったらおしまいなんだぞ」

「…………」

「たしかに真緒が自分で稼いだ金だし、こっちに使い道を指図する権利はないけどさ、でもひと言、相談してくれてもいいんじゃないの?」僕が話しかけているのに、真緒の唇は固く結ばれ、目は紙袋に注がれたままだ。「よそ見してないで、こっち見ろよ」

「…………」

反応はない。

「こっち見ろよ!」

僕の怒声に、小さな肩がビクッと震えた。こわごわ顔を上げる。

「あ、ごめん……。ごめんな、急に大きな声出して」怯《おび》えた目にたじろぎ、僕は声を落とした。「もう怒鳴ったりしないから、教えてくれないか。真緒、お金、何に使うの？　おれが知らないところで投資とか始めたのか？」

真緒は無言で首を振った。唇にできたわずかな隙間《すきま》が、彼女の動揺を物語っている。

「じゃあ、ギャンブル？」

もう一度、首を横に振る。

どうにか正解を探り当てようと、僕は大金が必要になりそうな事例を次々と挙げていった。連帯保証人。キャッチセールス。美容整形。マルチまがい。ホスト遊び。

真緒はそのいずれにも、首を縦に振ることはなかった。可能性が一つ潰《つぶ》されるごとに疑問も一つ消えるのだが、金の使いみちそのものについての謎《なぞ》はかえって深まっていった。

二人用の小さなテーブルを挟んで向き合ったまま、居たたまれない時間が過ぎていく。

「――換えようと思って」

か細くかすれた声がした。

「え？」

「だから、ほかの銀行に乗り換えようと思って」

ひとりでにため息が漏れた。

「だとしても現金下ろしたりしないで、新しい口座作ってから振り込めばいいだけのことじゃん。振り込み手数料と盗難のリスクのどっちがでかいか、真緒にわかんないはずないだろ」

「……うん」

肩を竦《すく》ませて頷く真緒は、いつもよりさらに小さく見える。

「そもそもどうして、銀行を変えようと思ったの？」

真緒が口を開くまで、わずかな間があった。

「いや、気分、ていうか、そうじゃなくて、やっぱり金利とか、ＡＴＭの手数料とか考えて、今の銀行よりも有利なところに……。あとほら、キャラクター付きのキャッシュカードとか、そういうかわいいのが欲しくて」

説明は曖昧《あいまい》で、この場の思いつきで言っているようにしか聞こえなかった。

「なあ、真緒——」

「やっぱり」僕の声にかぶせるように、真緒は早口で言った。「やっぱり、お金は元の銀行に戻す。浩介が言うとおりで、ここにあると危ないもんね。明日のお昼休みにでも銀行行って預けてくる。ごめんね、心配かけて」

真緒はひどく青ざめていた。

きっとまだ、何か隠しているはずだ。だが、いま厳しく追及しようとすれば、僕はまた真緒を怒鳴りつけてしまうかもしれない。

疑問を胸の奥に押し込め、僕はそっと尋ねた。

「本当にそのお金、預けるんだな？」

「うん」

真緒は頷《うなず》き、洟《はな》を啜《すす》った。

「そんな大金持ち歩くのは危ないから、預金は何回かに分けてな」

「そうする。ほんとにごめんね」

「いいよ。もう遅いし、風呂《ふろ》入ってきたら？」

「うん」

着替えのため寝室へと向かう姿を見送り、僕はテレビを点《つ》けた。が、キャスターの真面目《まじめ》くさった声がいつも以上に耳障《みみざわ》りに感じられ、すぐにスイッチを切ってしまった。

気詰まりな雰囲気はその後も続いた。お互いほとんど目も合わせないまま夜の支度を整え、キスもせずにベッドに入った。こんなことは結婚してから初めてだ。

電気を消したあと、いつもなら天井を見上げてしばらく言葉を交わす。内容は他愛もないことばかりで、北口のあのコンビニの跡に新しい店が入るらしいだとか、隣室の平岩家の息子のしゅう君がこんな言葉を喋《しゃべ》っただとか、そういう話がほとんどだった。また、梅雨に入ってエアコンのタイマー機能を使うようになってからは、温度設定で揉《も》めることも多くなった。僕が暑いと言えば真緒はちょうどいいと返し、真緒が寒いと言えば僕はちょうどいいと返す。そんな風に言い合っているうちに眠ってしまうのだ。

しかし今は、お互いが一つのベッドの中で背中を向けあい、暗闇《くらやみ》に沈んだ壁を見つめて黙りこくっている。

出張帰りで疲れきっているにもかかわらず、真緒はなかなか寝つけないようだ。身じろぎしたり体を掻《か》いたりする気配がときおり伝わってくる。その遠慮がちな動きに、神経質なほどの気の遣いようが感じられた。普段の真緒はマットレスが揺れるほど乱暴に寝返りを打ち、僕から剝《は》ぐように掛け布団《ぶとん》をたぐり寄せるのだ。

話しかけてみようか、と思った。真緒を怒鳴ってしまったことで気持ちが昂《たかぶ》っていて、僕は僕で寝られそうにもない。そうかといって相手の萎縮《いしゅく》ぶりを無視して黙り通すには、夜は長すぎる。

わざと身じろぎしてきっかけを作ってから、僕は話しかけた。

「あ」久々に発した声はかすれていた。「暑くない？」

言葉を飲み下すような間があって、真緒が短く答えた。

「大丈夫」

返事とともに、深い吐息が聞こえた。

沈黙を破った勢いを駆り、僕は続けた。

「さっき、怒鳴ってごめん」

「ううん。こっちこそ、ごめんね」

真緒の返事は幾分うわずっている。壁を見つめたまま、僕はできるかぎりおだやかな声で言った。

「お金のことだけどさ、どうしても必要ならおれに相談して。今回は突然だったからびっくりして怒鳴っちゃったけど、ちゃんと話してくれれば冷静に聞けると思うから。いますぐ説明しろとは言わないけど、お互い落ち着いたら、な」

「……うん」

素直な返事が返ってきた。ということはやはり、銀行を変えるという話は出まかせだったようだ。だが、今そのことを問い詰めたところで溝は深まるばかりだろう。必要なのは事実関係の追及ではなく、問題の解決であるはずだ。

知らぬうちに縮こまっていた脚を、僕は意識的に伸ばした。

「浩介」真緒が話しかけてきた。「心配かけて、本当にごめんね。ちょっと考えることがあって、焦《あせ》っておかしな行動とっちゃった。でも、悪いこととか馬鹿《ばか》なことに使おうなんてほんとに思っていなかったから、それは信じて」

真緒がそう言うのならそうなのだろう。僕は真緒の言葉を信じることにする。

「わかった。だけど、人の善意につけこむ詐欺《さぎ》なんかも多いから、そこは気をつけなよ」

「いくら私でも、そういうのに騙《だま》されないくらいには世間を知ってるよ」真緒はかすかな笑い声を漏らした。「あと、さすがにホスト遊びはないから」

「そうか。そうだよな」

僕も静かに笑った。

緊張から解かれた僕は、大事なことをまだ言っていなかったことに気づいた。

「真緒」

「ん？」

「出張、おつかれ」

衣擦れの音がした。

「ありがと」

言葉とともに、真緒の背中が僕の背にぴたりと押しつけられた。ほんの一晩離れていただけだというのに、この小ささと温かさが懐《なつ》かしい。

「真緒」

もう一度、彼女の名を呼ぶ。

「なに？」

密着させた背中をくねらせながら、真緒は囁《ささや》くように答えた。

話しかけたあとで、何を話すか考えていなかったことに気づいた。僕は話をしたかったのではなくて、真緒がそこにいて、呼びかけにいつもの声で答えてくれることを、もう一度確かめたかっただけなのだ。

黙っているのも妙な具合なので、僕はこの状況にふさわしい言葉を選んだ。

「おやすみ」

「うん。おやすみ」

真緒の返事を耳と背中で聞き、僕は目を閉じた。愛情表現はうれしいが、梅雨の夜に体を密着させるのはさすがに暑苦しく、長い髪の毛がうなじに当たってこそばゆい。

これでは眠れそうもないので穏便に体を離す口実を見つけねばと思案しているうちに、僕は眠りに落ちてしまった。

4

背中をこすりつける、というのは真緒なりのご機嫌とりの方法らしい。そしてその方法が、僕に対しては極めて有効なようだ。

アブラゼミの合唱をアルミサッシ越しに聞きながら、僕はそんなことをぼんやり思った。

エアコンのほどよく効いた和室で気持ちよく寝転がっていたはずなのに、いま僕は真緒の背中をマッサージしている。

体の下で、真緒が呻《うめ》きまじりの賛嘆の声を発した。

「ぐふー。そこ、そこもっと強く。あー、ツボにびしっと入ってる。浩介、指圧上手すぎ。駆け落ちしてよかったー」

それが入籍を急いだ理由だったか。

うたた寝中の無防備なわき腹をつつかれて声を荒らげたのは、ほんの少し前のことだ。意外なほどの痛さについ「いってえなあ！」と叫んでしまったところ、とたんにしゅんとなった真緒は視線を泳がせながら「ごめんね」と呟《つぶや》いた。

こちらが申し訳なくなるほどのしょげ返り様にうろたえていると、真緒は僕のそばにごろんと寝転がり、背中をこすりつけてきた。推定とはいえ二十六歳なのにその媚《こ》び方はないだろうとも思ったのだが、柔らかい体を押しつけられて甘い髪の香りを嗅《か》がされてしまえば、憤《いきどお》りを持続させるのはむずかしい。「痛くしてごめんね」「いいんだよ」という痒《かゆ》くなるようなやりとりを経て、気づけば互いの肩や腰をマッサージしあっていた。僕も見事に飼い慣らされたものだ。

「そういえば、おれに何か用があったんじゃないの？」

うっとりと目を閉じたまま、真緒は小さく頷く。

「ああ、うん。今週はまだ通帳見せてなかったなと思って。見る？」

預金引き出しの一件があって以来、真緒は預金通帳を定期的に見せてくるようになった。その押しつけがましいまでに律儀な姿勢は、強いてもいないのになぜか漢字練習ノートを僕に提出していた中学生の頃を思い出させた。

「預金のことはもう、いいよ。あれから一ヵ月以上経《た》ってるけど問題はないし、真緒を信用する」

「せっかく通帳記入してきたのに」

「信用するって言ってんだから喜びなよ」

「なんか物足りない」真緒は理不尽な不服を述べ、ついでに僕のマッサージに注文をつけた。「今度は、背骨に沿って二センチ刻みで押してって。ちょっと軽めに」

指示どおりに位置を小刻みにずらしていった指が、肩甲骨《けんこうこつ》の間で止まった。

「ブラの所はどうする？」

「そこは飛ばしていいや」

「へい」首へ向けて指圧を続けながら、僕はふとした疑問をぶつけてみた。「なあ、ブラで思い出したんだけど、真緒はなんで『ララ・オロール』に入ったんだ？」

「なぜ唐突にその質問？」

「だってほら、下着業界に就職するとしても、真緒の学歴なら業界最大手だってなんとかなっただろ。できて十年そこそこの新興企業に飛び込むのはちょっとした賭《か》けだったんじゃないのかなって気になって。いや、うちのお得意様をくさすつもりはないけど」

真緒は少しむきになったような声で答えた。

「私は『ララ・オロール』の下着が好きなの。だってかわいいから。だから入ったの。それじゃ変？　最近自分がターゲットの年齢層から外れてきたのはアレとして、短い人生、やりたいことやらなきゃ損でしょ。それに、若い会社の方が若手の意見も通りやすいし」

「なるほどねえ」

出入りの代理店としてその剛腕ぶりを見てきた身としては、妙に納得させられる話だ。

「という通り一遍の説明はともかくとして、簡単に言っちゃえば運命なんだよ」真緒が続けた。「高校生の頃、お店で初めてうちの会社の製品を見たんだけど、もう、きゅーって感じになったの。その頃はまだ知る人ぞ知るっていうブランドだったから、千葉の僻地《へきち》でつましく暮らしてる高校生が普通出会うはずもないのね。だから、あれは運命的な遭遇だったんだと思う。私、それまではお母さんがスーパーで買ってきた下着なんかでも気にしないで着けてた方だったんだけど、『ララ・オロール』のを見て、文明開化が起きた」

「文明開化、ねえ」

そのまま眠ってしまいそうなほど深くくつろいだ声で、彼女は自社製品の魅力を語りだした。

「こう、かわいくて、華やかで、ちょっと大人っぽい雰囲気で、でも派手じゃなくて、色合いとか光沢も品があって、こういうのが似合う人になりたいって心から思った。高校生の小遣いじゃワンセット買うのがやっとだったけど、宝物だった。夜中に鏡の前でうふんなポーズ取ったりして、高校生、バカ丸出し」

「下着でそこまで『きゅーっ』となれるもんなのかねえ」

「あー、男の人にはわかんないかもね。マンガみたいに目の中でお星様がキラキラするような感じ。浩介が死んじゃった猫を拾ったときの状態も、たぶんそんな風だと思うんだけど」

「あの猫を穿《は》きたいとは思わなかったぞ」

「そういうことじゃなくて」

「わかってるよ。でも、死んじゃったなんて決めつけるなよ。別の誰かに拾われたのかもしれないんだから」

「そうかな。病気の動物をわざわざ拾ってくれるほど、世の中優しくはないでしょ」

いささか不愉快になって、僕は反発した。

「そういう風に決めつけんなって」

「あ、ごめん。言いたかったのは、運命を感じることってあるよねってこと。私にとっては『ララ・オロール』との出会いも運命だったし、なんといってもいちばん運命を感じるのは、十三年前に浩介と会ったことだと思う。ねえ、浩介は私と会ったこと、運命だと思う？」

「まあ、そうかもね」

「うわ、なんてそっけない返事。こういう質問した場合、結婚する前なら『もちろん』って力強く頷《うなず》いてくれてたよね。なに？　釣った魚に餌《えさ》はやらないタイプ？　私たちって親の反対押しきって駆け落ちしたんじゃなかったっけ。だったらもうちょっとイチャイチャしてもいいんじゃないの？　土曜の午後にくすぐりっことかしてもバチは当たらないんじゃないの？」

「じゃ、そうすべえ」

僕はおもむろに手を伸ばし、相手の首筋といわず脇腹《わきばら》といわず手当たり次第にくすぐり倒した。

「やははは！」真緒は身をよじらせて笑いころげる。「ギブ！　ギブアップ！　よだれが出ひゅ」

真緒が畳を叩《たた》いてタップアウトしたので、僕はとどめに五秒ほど余計にくすぐり続けてから解放してやった。

梅雨明けとともに本気を出しはじめた太陽とセミたちが、マンションの外に出た僕たちをとっておきの暑苦しさで歓迎してくれた。

これなら日が暮れるまで部屋でくすぐりっこを続けているんだったと後悔したが、日焼け止めクリームとチューリップハットで紫外線対策を完璧《かんぺき》に整えたばかりの真緒には言いだしにくい。

歩きはじめてほどなく、真緒は僕の手を握ってきた。二人で出掛けるときは手を繋《つな》ぐのがなんとはなしの約束事になっているのだが、この暑さではさすがに自分の手のひらや腕の汗が気になった。が、真緒にいやいや手を繋いでいるような様子は見られないのでそのままにしておく。

「もう四時なのに、あっついねえ。部屋出て五秒で汗が出てきた」

そう言いながらも手を離そうとはしない真緒に、僕は頷く。

「あっついな」

背中合わせで寝た晩にも感じたことだが、他人にされれば不快になるようなことでも、相手が真緒であればむしろ安らぎになる。そして、そういう存在が自分にいることが無性にうれしい。

「買い物の最後に酒屋さんに寄ってくからね。忘れないでね」

帽子の庇《ひさし》の下からこちらを見上げ、真緒は僕に念を押した。

「それはいいけど、山井さんてそんなに酒飲みだったっけ？　前に会ったときは、あんまり飲んでた印象ないんだけど」

「中華のお店には日本酒置いてないし、あのときは冒頭から変な空気になっちゃったから遠慮したんでしょ。モモのペースに付き合ったら潰《つぶ》されるよ、ゼミのコンパでもなんでも手酌でぐいぐい飲《や》る豪の者だから」

知られざる豪快なエピソードを、真緒はこともなげに言った。

モモこと山井百香《ももか》さんは真緒の大学時代の親友で、僕たちの婚姻届の証人にもなってくれた人だ。いかにもお嬢様大学出身らしいのほほんとした人だと思っていたのだが、正体はうわばみだったか。

「そうだ、思い出した。『山井さん』『コンパ』と来ればあれだ。大学時代の真緒の称号ってあれ、ほんと？」

本当は思い出したのではなくて聞き出すタイミングを計りそこねていたのだが、僕はそのあたりの迷いには触れずにさりげなく尋ねてみた。

「あ、『合コン荒らし』？　うん、たしかにそう呼ばれてた時期もありました」

またもや、真緒はこともなげに答えた。

証人のお願いをしに中華料理店で食事をした際に、山井さんは「あの合コン荒らしも、ついに運命の人を捜し当てたんだ」と口走ったのだ。凍りついた僕たちを見て彼女は「駆け落ちって憧《あこが》れる」だの「初恋の相手と結婚なんてドラマみたい」だのと必死に軌道修正を試みていたが、凍った空気が溶けることは最後までなかった。

「そうか。真緒、合コン荒らしだったのか」

軽く受け流したつもりだったのだが、声の揺れが内心の落胆ぶりを如実《にょじつ》に表わしてしまった。真緒がぶるんぶるんと首を振る。

「出席率が高かっただけだよ。そんな、本気で引かないでよ。私がどれほど身持ちの固い女か、夫なら知ってるでしょ？」

「まあ、ねえ」

顔がこわばって上手《うま》く笑えない。

「ああもう！　やっぱりモモじゃなくて金ちゃんに証人頼むんだった」

真緒は憤りを握力に変換した。痛い。

「で、その金ちゃん――金沢さんだっけ？――は結局来れそうなの？」

手に込める力を弱め、真緒は首を横に振った。

「むずかしいみたい。さっき来たメールだと、明日は八対二の確率で山梨に行くことになりそうだって」

「ふーん。編集者っていうのも大変なんだな」

「うん。ストレス太りしたって言ってた。もう一年近く会ってないから、金ちゃんの顔も見ておきたかったんだけどな」

山井さんと金沢さんは明日の日曜日に我が家に遊びに来ることになっていたのだが、どうやら一人は欠席になりそうだ。

「まあでも、八対二ということはゼロじゃないから、料理の材料は四人分買っといた方がいいだろうな」

「そうだね。金ちゃん来れなくなったら、余った分は浩介に食べてもらえばいいか」

空いている方の手で、僕はTシャツのおなかをそっと撫《な》でた。

「やっぱり、二じゃなくて八の方に賭《か》けてみない？　おれ、最近太ったって会社でよく言われるんだよ」

「そう？　見えないけど。一緒にいるからわかんないのかな」真緒は首を傾《かし》げ、それから尋ねてきた。「仮に太ったとして、それは何太りっていうのですか？」

期待をたっぷり含んだ声だった。

「……えーと、幸せ太りです」

「えへへへへ」

僕の妻はくすぐったそうに笑った。よかった、今ので正解だったらしい。

繋いだ手を振り回しながら、真緒はハミングをしはじめた。

「ふーんふふーんふふー・ふーんふーんふふーんふーん」

いつものごとく、ビーチ・ボーイズの「素敵じゃないか」だ。

「ぱー・ぱぱー・ぱぱっぱー・ぱぱっ」というコーラス風のパートや、間奏と思《おぼ》しき部分まで省略せずに歌っているところから察するに、今日はとりわけごきげんのようだ。

鼻唄《はなうた》ばかりで歌詞がいっさい出てこないが、きっと楽しいことを歌っているのだろうということは明るい曲調から推し量ることができる。

「ふふんふ・ふんふ・ふんふん・ふーんふー、あ、ひーらいーわさーんだー」

メロディに乗せて真緒が言い、繋いでいた手をすっと離した。

道のむこうから見知った顔が歩いてくる。隣室の平岩という家族だった。

婚姻届を提出した日に奥さんと男の子に「お姫様だっこ」を目撃されて以来、彼らとは廊下で会えば立ち止まって世間話をするような関係になっていた。とくにしゅう君という一人息子は真緒と馬が合うようで、我が家に上がってリュウキンにエサをやったことも二、三度ある。しゅう君は真緒と顔を合わせるたびにその柔らかい頰をつつかれたり盆《ぼん》の窪《くぼ》をなぞられたりと弄《いじく》り回されるのだが、本人もそう悪い気分ではないらしい。初対面の印象が強かったのか、しゅう君はきまって真緒を「カゼひきさんのおねえちゃん」と呼び、僕たちを苦笑いさせた。

二つのデイパックと紙袋を抱えて虚《うつ》ろな目で歩いていた奥さんが、僕たちの姿を認めたとたん力業で顔をほころばせた。

「こんにちはー。暑いですねえ」

「こんにちは。ほんとに暑いですね。そうだ、この前は笹かまぼこ、ありがとうございました。おいしかったー」真緒は父親の背中で眠りこけている息子の顔を覗《のぞ》き込んだ。「あ、しゅう君寝てる。お疲れなのかな」

ちょっとやそっとのことでは目を覚ましそうにもない一人息子を背負い直し、ご主人が答えた。

「いやもう、多摩動物園行ってきたんですけど、ライオンバス乗ってお昼食べてコアラ見たら満足したらしくて、プッツと電池切れ。しゅう、熱いし重いしで」

「あらー、おつかれさまです」

「いやもう、おかげで全身汗だくです」

平岩さんは、苦笑いしながらもどこか誇らしげに「いやもう」を連発した。

僕とこの人とは五つくらいの歳《とし》の開きがあるのだが、息子を背負った姿はさらに年上で立派に見える。

「汗、汗」

「はいはい」

夫が顔を突き出すと、その首に掛かったタオルで妻が額の汗を拭《ぬぐ》う。僕と真緒にこういう息の合った連係が出来るようになるのは何年後のことだろう。

少しの間立ち話をしたあと、僕たちは平岩一家と別れた。

荷物と息子を我が家まで運搬する夫婦の後ろ姿は、お世辞にもスマートとはいえない。しかし、少しばかり格好よく見える。

「なんか、人生に勝った人たちって感じだな」

歩きながら、真緒は首を傾げた。

「そうかなあ。私には汗まみれの人たちに見える」

「そりゃまた即物的な。実際そうなんだけどさ、でも幸せそうじゃん」

「まあね」

離していた手を、真緒はまた繋いできた。汗に濡《ぬ》れた手を握り返し、僕は言った。

「おれたちも、そのうちあんな風になるのかな。しんどそうだけど、あれはあれで楽しそうだな」

焦《あせ》らなくてはならないような年齢ではないし、後先考える間もなく駆け落ちしてしまったこともあって、僕たちは将来設計についてあらたまって話し合ったことはなかった。だから、真緒が子供を望んでいるのかいないのか、じつのところ僕は知らないのだ。「今日は大丈夫」と真緒が自己申告した日を除けば僕たちは避妊具を使っているので、彼女が「いつでもどんと来い」という構えでないことだけはたしかなのだが、こういう機会にそれとなく探りを入れてみるのも手だ。

「そのうち我が家も、二人で買い物に出掛けることはなくなるのかもしれないな」

「え、なんで？　一緒に出掛けようよ」

真緒はきょとんとしている。

「いやほら、一つのベッドで寝てるとさ、心構えの有無に関係なく勝手に機が熟すこともあるかもしれないわけじゃん？」

早口で真意をほのめかす僕を、真緒は帽子の庇の下からじっと見上げた。

「浩介、子供欲しい？」

けっして乗り気なようには聞こえない声を耳にして、僕は咄嗟《とっさ》に言い訳を口にした。

「そんな、すぐにって話じゃないけどさ」

「お金もかかるしね、子供って」

真緒は僕よりはるかに現実的だ。

「そうなんだよなあ。おれ一人の収入じゃ、子育て以前に今のマンションの家賃なんかもけっこうな負担になるよな」

「もっと郊外の物件にすればよかったんだけど、ごめんね、私があの部屋がいいって言ったから」

「いや、おれもあそこは気に入ってるから。日当たりいいし不愉快な住人もいないし。なにより――」

口ごもった僕に、真緒は「なにより、なに？」と先を促す。

「ん、まあ、なによりその、真緒がいるから」

どん、と真緒が体をぶつけてきた。

「今日はお刺身買おう、お刺身。高いやつ」

なんと単純な。

ゆるやかに蛇行する道を、しばらく無言のまま歩く。

降り止《や》まぬ蟬時雨《せみしぐれ》の中、入道雲を見上げた真緒は思い出したように呟《つぶや》いた。

「私、お母さんになれるのかなあ」

もしかしたら、真緒は子供が嫌いなのだろうか。

僕はそんなことをふと思った。

中学の頃に周囲の子供たちからあれだけ嫌な思いをさせられたのだから、あり得ない話ではない。しかし、しゅう君と戯《たわむ》れている時の笑顔が演技だとも思えない。一度など、しゅう君が急にモジモジしはじめた原因を、真緒が彼のお尻《しり》を嗅《か》いで突き止めたことさえあるのだ。

「その資格なら、お釣りが来るぐらいあると思うけど」

僕の言葉に、真緒は頷《うなず》くような俯《うつむ》くような曖昧《あいまい》な仕草で応《こた》えた。

あるいは真緒は、親に育てられた記憶がないことを不安に思っているのかもしれない。最初は誰もが子育て未経験者なのだとは言っても、その未経験者の足元を照らす光になるのが育てられた経験だろう。自分が何をすれば親に叱《しか》られるのか、親に何をしてもらったらうれしいのか、そういう記憶の蓄積は僕にだってある。だが、それすらない者にとってみれば、子育ては星明かりさえないまったくの暗中模索になる。

「真緒」

「ん？」

「もし金のほかにも心配事があるんなら、どんな些細《ささい》なことでもいいから言ってくれよな」

今度はそっと、体をぶつけられた。

「うーん、そんなシリアスな話じゃなくて、当面は先のこと考えないで甘甘新婚生活にどっぷり浸っていたいなーって、思ってるんだけど」

なんだ、そういうことか。

先走っていらぬ心配ばかりしてしまった自分を、僕は心の中でそっと笑った。

団子屋の角を曲がると、いつものスーパーが見えてきた。

＊

赤面するほど長く続いていたしゃっくりが、ぴたりと止まった。

乾きかけたタコのマリネをつまみつつ、山井さんは話を続けた。

「だから、合コン荒らしとはいっても、これぞっていう男をかっさらってっちゃう文字どおりの荒らしとはちがうんですよ。一応は楽しく談笑したりするんだけど、一次会終わると一人でさっと帰っちゃうの、必ず。おかげで真緒を狙《ねら》ってた男の子が二次会で荒れるという、そういう意味での荒らし」

相手のグラスが空になっていることに気づき、僕はテーブルの上の四合瓶を手に取った。おそろしいことに、三本目の瓶がずいぶん軽くなってきている。

「どうぞどうぞ」

「あ、ほんとにもう、すいません。結婚のお祝いに来たはずなのに、こんな意地汚くご馳走《ちそう》になっちゃって」

山井さんは恐縮しながらも素直にグラスを差し出した。聞きしに勝るうわばみぶりだ。

もう一人の金沢さんは結局仕事が入ってしまい、我が家には山井さんだけがやってきた。

はにかんだ笑顔とともにケーキを差し出し、部屋の調度やベランダのプランターを見て回り、水槽内のビーチ・ボーイズに目を細めと、山井さんはよそよそしいくらいの礼儀正しさを維持していた。日本酒が供されるまでは。

自分のグラスにも酒を注いでから、僕は先を促した。

「えーと、話戻しますけど、だったら真緒はなんのために合コンに皆勤してたんでしょう」

山井さんはグラスの中の日本酒を豪快に呷《あお》ってから答えた。

「だから私もね、いっかい真緒に聞いたんですよ、合コンに何を求めてるのって。そしたら――」

山井さんは言葉を切り、和室の真緒を盗み見た。「寝てますよね?」

慣れぬ日本酒に目を回した真緒は、先ほどから畳の上でひっくり返っている。

「大丈夫。寝てる」

「そしたら真緒、『私の運命の人が東京の大学にいるはずだから、捜してるの』だって。もう、後ろ頭どついてやろうかと思いましたよ。なーにが運命の人だって。で、聞いたら、生き別れた中学のときのカレを捜してるんだとかなんとか」

「生き別れたカレって、話がだいぶ脚色されてる気がするけど、それってつまり、おれを捜していたと?」

「みたいですね」

「そんな、おれなんかにどうしてそこまで」どう受け止めればいいのかわからなくなった僕は、とりあえず皿に残った生春巻に齧《かじ》りついた。「だいたい、その方法じゃ要領悪すぎだよ」

「私もそう思って、『中学のときの同級生に片っ端から当たれば、一人くらいは連絡先知ってるんじゃない？』みたいなこと言ってみたんですよ。でも真緒は、『中学の奴《やつ》らなんかに頭下げたくない』って、ものすごく機嫌悪くなっちゃって」

「ああ、なるほど」

ため息まじりに頷いた僕の反応が気になったのか、山井さんは声をひそめた。

「酔った勢いで立ち入ったことを聞いちゃいますけど、中学の頃、何かあったんですか？」

僕は寝ている真緒の様子を窺《うかが》った。規則的に上下するタオルケットの上、ガラス戸の向こうにオレンジシャーベットのような夕方の入道雲が湧《わ》き立っている。

「いや、まあ、気の強さとマイペースぶりが災いして、クラスからちょっと浮いてた時期もあったりしたんで」

実態よりも相当おだやかな言い回しで当時を形容し、僕はグラスの中身を啜《すす》った。

「あー、はいはい。わかります。相談もなしに自分の中だけで結論づけちゃうというか、主体性の塊みたいな子だから、そこが合わない人間はいますよね。私は逆に、自分でこうと決めたら脇目《わきめ》も振らないところがあの子の良さだと思うんですけど」

「心配になってきた。本人は楽しかったって言うんだけど、大学でほんとに上手《うま》くやれてたのかな」

テーブルに行儀悪く頬杖《ほおづえ》を突き、山井さんはくいとグラスを傾けた。顔色に変化は見られないが、それ相応に酒が回ってはいるらしい。

「うーん、今だから言えることだけど、その気がないなら来なければいいのにって感じで、真緒が合コンに来るのを嫌がる子なんかもたしかにいましたよ。だって実際、極端なときだと顔合わせたその場で相手に興味を失うのがわかるんですよ、『あ、シヤッター下ろしたな』って」

「すいません。妻がご迷惑をおかけしまして」

僕は頭を下げ、いそいそと相手に酌をした。

「あ、いやいや、いろんな思惑とか感情が渦巻いてるのが女子大という所なんで、誰が気に入らないとかそういう話は付き物ですから。私にだって同じゼミなのに口もきかない相手とかいましたもん。でも、悪く言う人はいても、真緒はかなり愛されてた方だったんじゃないかなあ。大げさに言っちゃえば真緒のいる所に人の輪ができる状態だったし、今日来れなかった金ちゃんなんて今朝、『次はいつ？』って電話で聞いてきましたから」

「ふーん、あの真緒の周りに人の輪がねえ。中学の頃からは想像がつかないなあ」

「そうなんですか？」

「うん。真緒とおれはむしろ人の輪の外にいたから」

だし巻き卵を箸《はし》で切っていた山井さんが、ぐっと身を乗り出した。

「輪の外にいたというよりも、二人だけで作った輪の外にその他大勢がいたんじゃないですか？」実情を知らない山井さんは冷やかすように言う。「いいなあ、不器用に愛を育《はぐく》む幼い二人。前に真緒から聞かされたんですけど、学校帰りに毎日のようにその、キスしてたとか」

「えっ」

おもわず大きな声を出してしまった。

「あれっ？　ちがうの？　いつも二人で将来を語り合っていたナントカ公園というのがあって、そこでって話を聞いたんですけど」

酒を口に含んで動揺を静めてから、僕は答えた。

「しなかったわけじゃないけど、一回だけだったような。将来を語り合ってたとか毎日とかっていうのは、いくらなんでも誇張しすぎ」

「なんだー。じゃあ、真緒が高熱を出したときに必死に看病してあげたというのは？」

アルコールにかき回された頭を無理やり働かせ、僕は記憶を掘り起こした。

「いやー、どうだろう。春先に外で話し込んで、二人揃《そろ》って風邪ひいたことならあるけど。真緒が赤い顔してたから、たしか家から体温計を持ち出して熱を測ったのかな？　かなり熱かったんで、冷却シート渡して『早く帰れ』みたいなことを言った覚えはあるけど、それを必死の看病と呼ぶかというと、呼ばないだろうなあ」

「あいつ……」小さないびきを立てる真緒を睨《にら》み、山井さんは僕に視線を戻した。

「のろけ話を聞かされるたびに身悶《みもだ》えしていた二十歳《はたち》の私って、なんだったんでしょうね」

「さあ、なんだったんでしょう」

僕が首を傾《かし》げると、山井さんはグラスを手にしたまま体を揺らして笑った。

「まあ、まったくの出鱈目《でたらめ》じゃなかったんだから許そう。きっと話を五倍くらいに膨らませちゃうほど、真緒にとっては素敵な思い出なんだろうな。だから、奥田さんを捜し当てられてほんとによかったなって思いますよ。だって私なんか、運命の人というのは真緒の妄想の産物なんじゃないかって、一時は実在を疑ってましたもん。だからこうして目の前にいるのは不思議な感じ。でも、捜した甲斐《かい》はあったと思いますよ」

たぶん、僕は耳まで真っ赤になっていたことだろう。ちょっとお世辞を言われただけですっかり照れてしまった。

「いやあ、運命のどうたらって持ち上げられるような立派な人間じゃないんだけど、まあ、再会できたことはこう、しみじみうれしいし、ものすごい幸運なことだとは思います、たしかに」

山井さんは意地の悪そうな笑みを浮かべた。

「そーれはどうかなー。ほんとに『ものすごい幸運』だったのかなあ。中学時代のカレを十年も想《おも》い続けていた真緒が、ただ漫然と再会を待つとも思えないんですけど」

「そうかな?」

「だって、最初真緒の会社から奥田さんの会社に依頼が来て、顔合わせで再会したんですよね?」

何を言わんとしているのか、山井さんの表情を見れば聞くまでもない。

「いや、ヒラだから業者選定の決定権なんて真緒にはないし、そんな、おれが広告代理店で働いてるなんて知るはずもないし」

「どうかなー。真緒の執念深さを甘く見ちゃいけないですよ。安い指輪ひとつ探すのに一年も費やす女だから」

「そんなことがあったんですか」

「あれ？　知らなかった？」山井さんはフクロウのように大きく首を傾げた。「当時も持ってる数は少なかったんですけど、真緒ってけっこう指輪好きじゃないですか」

「ああ、たしかに」

僕は、ドレッサーにしまわれているアクセサリーケースの中身を思い浮かべた。

「で、雑誌に載ってたのを真緒がすごく気に入って、買いに行くの付き合ったんですよ。そのときは三軒くらい回ったのかな？　人気があるらしくて結局どこも売り切れで、『しょうがないねー』なんて話しただけで私はすっかり忘れてたんですよ。それから一年くらいたったある日、『ついに見つけたー』って——」

「だまれー」

力のない声が耳に入り、僕と山井さんは和室に目を向けた。真緒が上半身を起こしたところだった。

口元のよだれをぞんざいな手つきで拭《ぬぐ》った真緒は、たったいま月面探査から戻ってきたような足取りでダイニングキッチンにやってきた。

「起きてたの？」

悪戯《いたずら》がバレたような顔で、山井さんが尋ねた。

「だってべつに、寝てないもん。ずっと起きてるよ」明らかな寝起きの顔でそう言い張り、真緒は椅子《いす》にどっかりと腰を下ろした。「そうだ、今日はモモのために日本酒を買ってあるんだ。さっそくだけど開けちゃおう」

「いや、さっそくも何も、もう二時間も前に開けたんですけど」

僕が持ち上げた四合瓶を、真緒は眠たげな目でしばらく見つめた。

「あー、そっかー」相当酒が効いているようだ。「じゃあ、ケーキ食べよ。買ってきてくれたやつ。待って、いま包丁取ってくる」

「いい！　いいから座ってなよ」山井さんがあわてて腰を浮かせた。「ホールケーキじゃないいんだから切る必要ないし、私がやるから真緒は座ってて」

「そう？　じゃあ、コーヒー淹《い》れる」

「いや、おれがやる」

今の真緒にまかせたらカップをひっくり返すか落とすかのどちらかなので、代わりに僕が立ち上がった。だが、てきぱきと立ち働く山井さんとはちがい、体が左右にふらついてしまう。

苺《いちご》の赤が鮮烈なショートケーキを真緒は「おいしい、おいしい」とぱくつき、その一方で「うちの人に変なこと吹き込まないで」と山井さんにからんだ。「うちの人」

などというぱしの主婦のような言葉に僕たちが笑うと、真緒は「何がおかしい」とますますからむ。どちらが既婚者なのかわからなくなるような真緒と山井さんのやりとりが続く中、手元の暗さに気づいた僕は部屋の灯りを点けた。楽しい午後が終わっていく。

じゃれつくように山井さんにからんでいた真緒は、相手が帰る段になって唐突に泣き上戸に変身した。

「元気でね。モモにはリミッターが付いてないんだから、あんまり飲みすぎちゃだめだよ、飲ませたけど。ハワイ、楽しかったね。モモに会えてよかった。モモのこと、大好きだからね。元気でね」

涙ぐんだ真緒は山井さんの手を取り、まるで今生の別れのような惜別の言葉を繰り返した。その様子を見ながら僕は、もう真緒に日本酒は飲ませまいと心に誓っていた。

団子屋の角を曲がって商店街に差し掛かったところで、山井さんは急に立ち止まった。

「もうここまで来ればわかるんで、あとは大丈夫ですよ」

「いや、でも、ちゃんと駅までお送りしろという真緒のお達しなんで、ついてきます」

「そうですか。じゃあ、お願いします」

山井さんは笑顔で会釈《えしゃく》し、再び歩きだした。

空はまだ明るいが地上にはひと足早く夜が訪れていて、道沿いに並ぶ街灯はすでに点灯している。

「真緒は、立派ですよね」

山井さんの言葉に、僕はわが耳を疑った。今日の醜態のどこがどう立派だというのか。

「そうかなあ」

「だって、結婚して五ヵ月？　四ヵ月か。それでも太る気配ゼロですもん」

そういうことか。

「まあ、もともと小食だから」

「でも、なかなかできることじゃないと思う。二月くらいに会ったときより、むしろほっそりしたんじゃないですか？　きっと陰ですごい努力してるはず」

「いっやー、どうだろう。日曜なんか、昼飯食べた直後に和室で昼寝とかしてますよ」

山井さんはそれを聞いて深々とため息をついた。

「いいなー。会社帰りにジム通ってるのにむしろ体重増えてる私って、なんなんでしょうね」

「さあ、なんなんでしょう」

「やっぱり、週三に増やそうかな」

そんなことを話しているうちに、僕たちは駅にたどり着いた。

「すいませんほんと、料理もお酒もいっぱいご馳走《ちそう》になっちゃいまして。今日はすごく楽しかったです」

「いえいえこちらこそ。ぜひまた遊びに来てください。今度はもう、真緒にはジュースしか与えませんから」

別れ際《ぎわ》に真緒の学生時代の趣味に関することを二言三言教えてもらい、僕は駅のコンコースに消えていく山井さんを見送った。

部屋に戻ると、真緒が半分眠りながら料理の残りを小皿に移し替えているところだった。鰹《かつお》のたたきのタレがテーブルに盛大に零《こぼ》れ落ちるのを見て、僕はあわてて真緒を座らせた。

「酔っ払ってるんだから、片付けはおれにまかせて休んでろよ」

「んー」

肯定とも否定とも取れない返事をした真緒は、皿が片付いてくるとテーブルの上にノートパソコンを置いた。

「おいおい、その状態で仕事か？　せめて仮眠とってからにしなよ」

「ちがう」真緒は小さく首を振り、緩慢な動作でこちらに向き直った。「モモが変なことほのめかしたから、この際ちゃんと説明しとこうと思って」

「何を？」

「私がどうやって浩介と『再会』したか」

蠟燭《ろうそく》を近づけられたかのように、耳のあたりが熱くなった。

「ちょっと、本当に偶然じゃなかったの？」

「とりあえずこれ、見て」真緒はウェブブラウザを起動させた。検索画面を経て、僕が所属していた大学の鉄道研究会のサイトが表示される。「私がこの中に浩介を見つけたのは、社会人になってわりとすぐの頃。浩介は電車が好きだったから鉄道研究会にいるかもしれないと思って、学生時代から都内の大学にある鉄道研究会のページを手当たり次第に覗《のぞ》いていたの」

「なんだって？」

「いいから、まずは聞いて」

僕をとなりに座らせると真緒はいくつかのリンクをクリックし、三年生のときに行った夏合宿のページにたどり着いた。

「あ、岩泉線乗りに行ったときのだ」

当時このサイトを管理していた佐藤という後輩の文章に添えて、寂れたホームや今は引退した旧型の気動車の写真が掲載されている。その小さな画像を見ていると、陽炎《かげろう》に揺らめくレールや山に響くヒグラシの声がにわかに思い出された。しかし、今はそんなことにかまけている暇はない。

「ここに写ってるの、浩介でしょ」六人で撮った集合写真の中、疲れきった表情でカメラに顔を向けているのはたしかに僕だ。「本名じゃなくて『O田』ってなってるけど、見てすぐわかったよ。『あ、ほんとに浩介がいた』って、すごくうれしかった。でも、ここから先の手がかりがずっと見つからなかったの」

真緒の説明に、僕はあきれるほかなかった。「S藤」というハンドルネームから、真緒は管理人の名前を佐藤か斎藤であると推理し、「佐藤　鉄道」や「斎藤　レール」などのキーワードで検索を続けたというのだ。

「そして見つけたのが、ここ」

真緒が開いたのは、「鉄オタ・サトーの鉄日記」というブログだった。

「あいつ、こんなの始めてたんだ」

卒業後、佐藤とはOB会で一度会ったかどうかというくらいの付き合いになってしまったので、どこで何をしているのかはまるで知らなかった。プロフィールによるとどうやら、アルバイトで食いつなぎつつ全国の鉄道を旅しているらしい。

「この、去年の三月の記事。これで浩介の勤め先がわかった」

僕は、真緒が指差す「つぶやき」というタイトルの記事を読んでみた。

プーになって早一年。先のことを考えると不安だけど、これも自分で選んだ道だ。なぜか最近、大学の鉄研で先輩だったOさん（↑念のため伏字）のことを思い出す。Oさんは『鉄分』が薄い人で、鉄研に入った理由も『なんとなく』だと言っていた。そんな彼だが無事四年間のお勤め（笑）を終えて、業界っぽいキャラでもないのに「日本RA社」（↑これも念のため伏字）という鉄道関係では大手の広告代理店に就職していった。

Oさんにどうしてそこに決めたんですかと聞いたことがある。

『やっぱり鉄道関係だとなんとなく親しみがあるじゃん』だって。じゃあJR行けよ！（笑）

そんなふうに職種にこだわらず『なんとなく』安定した道を選んだOさんみたいな人もいれば、僕みたいに好きなことのためにあえてイバラの道（笑）を選ぶ奴《やつ》もいる。

どっちが幸せかなんて誰にも決められることじゃないけど、自分で選んだ道なんだからせめて死ぬときは『俺の人生幸せだった』と思えるようにしたい。

そういえばOさんは酔うとかならず『中学の時、ひとかけらの知恵とマーガリンで空手の有段者を撃退して彼女を守ったことがある』って語ってたな。たぶんウソだ（笑）

「……うわあ」

読み終えて最初に出てきた言葉がそれだった。

中学時代の思い出を五倍に膨らませていた真緒にあきれたばかりだが、僕の方は六倍にも七倍にも膨らませていたことがこれで明らかになってしまった。

「ここまでわかれば、あとは行動するだけだった」僕の痛々しい武勇伝には触れず、真緒はあいかわらず眠たげな目で続けた。「いろいろデータとかも用意して、根回しもして、『これからは交通広告の時代です』って言い続けて会社の上の人たちを押し切っちゃった。だからね、あの『再会』はけっして偶然じゃなかったの」

真緒は、紅潮した顔に薄く笑みを浮かべた。

僕は冷めきったコーヒーを口に含み、なんとか気分を落ち着けてから真緒に尋ねた。

「ネットで根気よく探すより、適当な鉄研に当たりをつけて合コン呼びかけた方が合理的だったんじゃないか？　何度かやってけば、鉄研つながりでうちのサークルにたどり着く可能性もあっただろ？」

酒気を追い出すように深々とため息をつき、真緒は消え入りそうな声で答えた。

「私自身は合コンのセッティングしたことなくて、知り合いに顔が広い子がいたんで、頼んでみたことあるのね。でも、鉄道オタクなんてぜったい嫌だって、取り合ってくれなかった」

「なるほど。それが一般的な反応だよな」

「だから自分でなんとかするしかなかったんだけど、でも、聞いて。会社の不利益にはならないって確信はあったし、実際に導入効果も高かった。だけどいきなり本人が打ち合わせに出てくるなんて、ほんとに思ってなかったよ。ちゃんと仕事は進めた上で、知り合った人づてに浩介にたどり着ければいいって思ってたの。その気持ちにはほんと、嘘《うそ》はない。タネも仕掛けもないほんとの運命。それは信じて」

膝《ひざ》の上に置いた手を握りしめ、真緒はこちらの顔色を窺《うかが》った。その眼差《まなざ》しが不安げに揺れている。

どう答えればいいのか、僕にはわからない。もちろん、うれしい。真緒がそこまでして僕を捜してくれたことに感激している。しかし、戸惑いを覚えていることもたしかだ。

離ればなれだった十年間、僕だって初恋の相手を忘れていたわけではない。放課後の教室や銀杏《いちょう》公園での出来事は、かすかな痛みを伴う甘い記憶として胸にしまっていた。そう、もはや美化するくらいしか関わりようのない過去の出来事なのだと、僕は整理をつけていたのだ。

一方で真緒は、二人の関係を十五の夏で終わりにはしなかった。山井さんが「甘く見ちゃいけない」と評した以上の意志と根気で僕を捜し続けていた。その理由らしきものを推測することはできる。初恋の相手だった。優しくされた。初めてのキスの相手だった。だがそれだけのことで、十年も気持ちを維持できるものなのだろうか。まして僕は地味でこれといった魅力もない、ごく平凡な男だ。

あるいは真緒には、何か企《たくら》みのようなものがあるのだろうか。愛情とは別の、僕に接近する理由が。しかし、僕には金も地位も名声もないのだから、近づいたところで得られるメリットなど何もないはずだ。

黙っている間に、真緒の目に涙が溜《た》まりはじめていた。

真緒は演技で涙を浮かべられるほど器用な人間か？ いや、それはあり得ない。だいたい、僕が真緒を信じてやれなくてどうする。

「真緒」

続く言葉を探している間に、真緒が口を開いた。

「浩介が大好きだから、浩介ともっと一緒にいたかった。でも、普通の人はこんなにしつこくないんだよね？」

ふいに尋ねられ、僕は曖昧《あいまい》に頷《うなず》いた。

「一般に、女の方が切り替えが早いとはいうけど」

「そうなんだよね。私、そういうのがわからないの。高校の頃の友達に『何年も想《おも》い続けられるのは相手には重荷かもよ』って言われたことがあって、だから今日まで内緒にしてた。変に思われたくなかったから」

忘れてはならないことがある。真緒には十三歳より以前の記憶がないのだ。

知識も経験も持たぬ真緒の目に、マーガリン事件を起こした僕が実際よりはるかに凛々《りり》しく映っていたとしてもおかしくはない。それに加え、ぼくはいつも彼女のすぐそばにいて、あまつさえ唇まで奪ってしまったのだ。人生経験という点では乳児同様だった当時の真緒にとって、そんな僕がひときわ特別な存在——彼女の言う「運命の人」——になったという可能性は充分にあり得る。

「今日まで内緒にしてたのを、どうして話してくれる気になったんだ?」

いまにも途切れそうなか細い声で、真緒は訥々《とつとつ》と答えた。

「だって、もし話しておかないで私が死んじゃったら、浩介は最後まで騙《だま》されたことになっちゃうし、それは浩介への侮辱みたいな気がしたから。だから、お酒の力を借りて話したの。でももう、嫌いになっちゃったよね。私、普通じゃないもんね」

僕は手を伸ばし、真緒の肩を揺すった。

「おい、嫌いになったなんて言ってないだろ」

「でも中学の頃、『もっと普通にしろよ』ってよく怒ってたでしょ」

「そんなことまでよく憶《おぼ》えてるな」

「これでもっと、嫌いになった?」

「おれってそんなに器の小さい奴か?」

「うん」

「『うん』じゃないよ」

「あ、ごめん。今のは勢いで」

小さくなる真緒を見て、僕は不覚にも笑ってしまった。真緒もつられて微笑《ほほえ》む。細めた目の端から涙がぽろぽろと零《こぼ》れ落ちた。

ほぼ酩酊《めいてい》状態とはいえ、彼女なりに勇気を振り絞っての告白だったのだろう。涙を拭《ぬぐ》う手はぎこちなく、固く握られたままになっている。

僕は真緒に騙されたのだと捉《とら》えられなくもない。だが、怒りは湧《わ》いてこなかった。真緒が偽ったのは再会の経緯であり、心ではない。

「本当に、嫌いになってなんかいないよ。真緒の執念には正直言って愕然《がくぜん》としたけど、だからといって嫌いになれるものでもないだろ」

小さな拳《こぶし》を両手で包み込み、僕は彼女のこわばった指をゆっくりと開かせていった。

真緒がこわごわと尋ねてくる。

「怒ってないの？」

「たじろいだけど、怒ってはいないよ。むしろ、ラッキーだったなって心の中でガッツポーズしてる」

「どういうこと？」

「もちろん自覚はなかったんだけど、中学のときのおれは真緒の心に上手《うま》くつけ入れちゃったのかもしれない。人を見る目が磨かれる前に、一番乗りのおれが真緒にとっての『運命の人』の座に居座っちゃったんだよ、きっと。出会ったのが高校時代か大学時代だったら、競争率高くて大変だっただろうな。だからおれは、じつにラッキーだ」

「気を遣ってくれなくていいよ。私って変だもん。普通じゃないもん」

「いや、普通の人であってほしいなんて願いはとっくに捨ててるから心配するな。だって、とんでもない急成長をしたかと思えば中学生みたいな部分もたっぷり残してるし、合理的なようで短絡的で、気まぐれなようでおそろしく執念深い。ちぐはぐなんだよ、真緒は」こちらの言葉を真に受けた真緒はしゅんとうなだれた。わかりやすい反応が中学時代を思い起こさせ、僕の頬をゆるませる。「でもいいじゃん、ちぐはぐでも。真緒は真緒だし、いまさら普通の人になられたらこっちが戸惑う。それから言っとくけど、おれは『運命の人』の座から降りるつもりはないぞ。ただ単にラッキーだっただけなのかもしれないけど、真緒をみすみす手放すような真似《まね》はしないからな。これからもずっと、人を見る目を眩《くら》ませ続けてやる」

言い終わるかどうかのうちに、真緒は僕に飛びついてきた。足を踏ん張り、椅子《いす》ごとひっくり返りそうになるのをかろうじて堪《こら》える。首もとにすり寄せられる頬の柔らかさに陶然としつつも、こうやって男は女の軍門に降《くだ》っていくのだなと、僕は妙に心地よい敗北感を覚えていた。

酒に火照《ほて》った肩をぽんぽんと叩《たた》いていると、耳元で真緒が囁《ささや》いた。

「ぎもぢわるい」

「え？」

「吐きそう」

「待て。歩けるか？　洗面所まで我慢できるか？」

かすかに頷いた真緒を慎重に立たせ、僕は爆発物を運搬するような注意深さで洗面所に連れていった。

「おえええぇぇ」

洗面台に取りすがるや否や、真緒はアルコールと自分の手料理を盛大にぶちまけた。これでもかというほどの量だ。

僕は真緒の背中をさすりながら、どういうわけか「頑張れ、頑張れ」と状況にふさわしくない励ましの声をかけ、ほかにも自分にできることはないかと水道の蛇口をひねり、浴室のドアを開け、換気扇を回した。

出すだけ出してしまってからも、真緒は肩で息をしながら繰り返し喘《あえ》いでいた。

このみっともなくも不思議で愛《いと》しい妻を、おもいきり抱きすくめてやりたい。吐瀉物《としゃぶつ》の匂《にお》いの立ち込める洗面所の中、そんな場違いなことを考えながら僕は背中をさすり続けた。

*

夏から秋にかけて、休日が来るたびに僕たちはさまざまな場所に出掛けた。区内のシネコンで映画をハシゴし、都庁の展望台から自分たちのマンションを探し、シュルレアリスムの美術展では二人で首を傾《かし》げ、神宮球場で白球に歓声を上げた。また、とくに行きたい場所のないときは近所を散歩した。マンションの近くを流れる白子川は一部が親水公園のような造りになっていて、真緒は橋の上から錦鯉《にしきごい》や亀《かめ》をのんびり眺めるのをとても好んだ。

正直に言えば、前夜の十時まで働いたときなどはできれば昼まで寝ていたいとも思うのだが、十一時まで働いた真緒に出掛けようと腕をひっぱられては無下に断ることもできない。それに、行けば行ったで楽しいのだ。

真緒と一緒にいると、飽きるということがない。都庁の展望台では「ほら、あれってうちのマンションじゃない?」とまったく見当違いの方向を指差し、ナイターを観《み》に行けば「今日のラッキー・パーソン」とやらで大型ビジョンに映し出されてマスコット・キャラクターのぬいぐるみをもらい、それを電車の網棚に置き忘れて駅員に泣きつく。

十年の空白を埋めようというのか、真緒の行動力にはすさまじいものがあった。極め付きは葛西臨海《かさいりんかい》公園に行ったときのことだ。観覧車から見えた旅客機に心を奪われた真緒は、羽田空港に行こうと言いだした。そこで頷いたのが失敗だった。日が西に傾くまで何十機もの旅客機の離着陸を見たからもう満足しただろうと思いきや、次はモノレールの車窓から見えた大井競馬場に行ってみたいとごね始めた。真緒は土を蹴《け》立《た》てて夜の馬場を疾走する競走馬の美しさと迫力に圧倒され、単勝馬券を百円ずつ買ってはいっそ気持ちがいいほど外し続けた。その夜、僕は金属質の轟音《ごうおん》とともに大地に降り立つ巨大なサラブレッドの夢を見てうなされた。

こうして土曜はくたくたになるまで遊び、日曜はほぼ一日部屋の中で過ごす。得意先からの理不尽な「召集」がないかぎり、僕はそのパターンを律儀に守った。僕もまた、十年の空白を埋めようと躍起になっていたのかもしれない。

ただ、あまり気の進まない外出先もある。鎌ヶ谷にある真緒の実家だ。

二度三度と訪れるうちにいくらか慣れてはきたが、風呂《ふろ》に入っても客用の布団《ふとん》に横になっても、心からはくつろげない。結婚の過程が強引だったことが、やはり心のどこかで負い目になっているのだろう。

「ほんと、一回でいいからオペラは観に行くべきだよ。プロの歌手の声ってすごいよ、おなかまで響いてくるから」湯上りの髪をタオルで拭《ふ》きながら、パジャマ姿の真緒は両親にオペラの魅力を語った。「いろんな演目があるけど、観に行くんならやっぱりモーツァルトだね。ほかの作曲家とはレベルがちがうよ」

ここが大泉のマンションであれば、「自分だって一回観ただけのくせに」と真緒を小突いてやるのだが、お義父《とう》さんとお義母《かあ》さんの前ではそうもいかない。微笑を絶やさぬ「出来のいい婿《むこ》」を演じるだけでせいいっぱいなのだ。

「オペラ、ねえ」

新国立劇場よりは新橋演舞場の方が似合いそうなお義父さんとお義母さんは、揃《そろ》って首を傾げた。

「初台の新国立劇場なら、秋から夏前くらいまでコンスタントにやってるみたいだよ。ちゃんと字幕が出るから筋はわかるし、場所は新宿から京王線ですぐだから、一回行ってきなよ」

「オペラ、ねえ」

お義母さんがもう一度、同じ言葉を呟《つぶや》く。

初台は京王線ではなくて京王新線の駅だと、「鉄」の端くれとして注釈を加えたかったが、お義母さんたちがオペラにあまり乗り気ではないようなのでやめておいた。どう見てもこの人たちは、新橋演舞場派だ。

「さて、疲れたんで私はもう寝ます。おやすみ」

真緒はひょいと手を振り、リビングから出ていった。スリッパの足音が階段を上っていくと、庭の虫の音が妙に大きく聞こえた。

「まだ十時半じゃないか」

娘と言葉を交わさずじまいだったお義父さんが、ごま塩頭を掻《か》きながらお義母さんに当たる。

「いまに始まったことでもないでしょう。自分のペースで行動する子なんだから」

お義母さんが涼しい顔でお茶を啜《すす》ると、お義父さんは「風呂入ってくる」とソファから立ち上がり、空になった水割りのグラスを台所に置いていった。

廊下に消えていく夫をそっと指差して、お義母さんが含み笑いをする。

「真緒と話したいのに話せないから、ヘソを曲げているのよ」

「あの、僕はお邪魔だったですか？」

野球や政治を語れる家族がやっとできたというお義父さんの言葉に乗せられ、僕は少々喋《しゃべ》りすぎてしまったのかもしれない。

「いえ、そういうことじゃないの」お義母さんはふくよかな顔をほころばせた。「真緒が十六、七になったあたりから、ずっとあの調子なのよ。娘との接し方がわからなくなっちゃったんでしょ。中学生の頃はこっちが妬《や》けるくらいベタベタくっついていたのにね」

「そうだったんですか。想像つかないです」

お義母さんは懐《なつ》かしそうに目を細めた。

「ほら、里子とはいえ五十近くになって突然娘ができたものだから、舞い上がっちゃって大変だったのよ、中学の制服に袖《そで》を通せば似合う似合うと手を叩いて、運動会で一等になれば保護者席で大騒ぎして、通信簿見れば首まで真っ青になって。でも通信簿のときは、さすがに私も血の気が引いたわね。『やっぱり小五くらいからやり直させようか』って、二人で夜中まで話し合ったものよ」

「じゃあ、彼女の急成長には大喜びだったんじゃないですか？」

「それがむずかしいもので、私は単純に喜んでいたけど、手がかからなくなったことをあの人はむしろ寂しがってたわね。真緒が私たちの前で『源氏物語』か何かの冒頭を諳《そら》んじたときだったかしら、『保護したときは二言しか話さなかったあの子が』ってあの人、涙ぐんだのよ。もらい泣きしかけたら、『高卒の俺には教えてやれることがなくなった。もう相手にしてもらえない』ってくやしがってるの。あきれちゃったわよ」

「うわあ、想像つかない」ひとしきり笑ってから、僕は姿勢を正した。「だけど、二言しか話さなかったって、最初の頃はそこまでひどいショック状態だったんですか」

「ショック状態？」

「いえ、記憶喪失になるくらいだから、よほどのことがあったのかと」

お義母さんは僕の心配を笑って打ち消した。お義母さんと真緒の初対面は保護から十日ばかり経《た》った頃だったそうだが、そのとき真緒は児童相談所のプレイルームで自分の半分ほどの年齢の子供たちとじゃれあっていたらしい。

「小さい子たちの相手をしてあげているというよりは、まるっきり対等な立場で一緒に遊んでいる感じだったわね。頭は寝ぐせだらけだし、ズボンがずり下がってお尻《しり》は半分出ているしで、その姿を見たとたんに、ああ、この子は私が面倒見てあげないと、って、おかしな使命感に駆られたのよ。だから、うちの人から『あの子を里子にしないか』って持ちかけられたときは、二つ返事でオーケーしちゃった」

お義母さんが語る当時の様子は、十二、三歳の女の子のものとはとても思えない。だが、真緒の場合ありありと想像できてしまうところがおそろしい。

「じゃあ、ショックどころか本人は楽しくやってたんですね」

「ええ、人見知りもしなかったし、とにかく目がきれいでいつもニコニコしてる子だったわ。保護されて最初の一日二日はほとんど何も喋らなかったらしいんだけど、うちで預かり始めた頃にはまあ、ペラペラとよく喋ったわね。『いつ中学行けるの？』『はやく夏休み終わらないかなあ』って」

その後に編入された中学校での境遇を思うと、気の毒すぎてかえっておかしくなってしまう。

「そういえば、保護されたときの二言って、どんな言葉だったんですか」

湯飲みを口に運ぶ手を止め、お義母さんは小首を傾げた。

「たしか、最初に口にしたのが『中学生』。その次が『学校行きたい』だったそうよ。その二つの言葉を手がかりに警察の人たちが全国の自治体とか中学校に行方不明になってる子がいないか照会したみたいなんだけど、該当者はなし」十年あまり前の出来事を懐かしんでいたお義母さんの顔が、にわかに曇った。「法の不備とか家庭の事情とかで、これだけ発展した日本にも戸籍のない子というのはまだまだいるらしいの。真相は今もわからないけど、真緒も戸籍のない子供だったのかもしれないわね。本人はケロッとしていたけれど、保護されたときの状況もほら、普通じゃなかったから」

「普通じゃないって、どんな様子だったんですか？」

お義母さんが目を丸くした。

「真緒から聞いてないの？」

「はい」

「もう、あの子は。自分の旦那《だんな》さんにも黙ってるなんて」お義母さんはカーディガンの肩をすくめ、笑顔で取り繕った。「でもね、知らないのなら無理に知る必要はないと思うの。なにせ昔のことだから」

この家を初めて訪れた日に似たぎこちない空気が、虫の音に包まれたリビングに漂いだした。こうなるとかえって、知らずに済ませるのが怖くなる。

ずいぶん昔に耳にした奇妙な噂《うわさ》の記憶を、僕はおそるおそる引き出した。

「真緒、裸だったんですか？」

お義母さんは、少し逡巡《しゅんじゅん》してから頷《うなず》いた。

「誰から聞いたの？」

「中学校でそんな噂が流れていました」そう答えてから、僕は急いで嘘《うそ》を付け足した。「でもごく一部で噂されていただけで、すぐに消えましたけど」

「学校にまで……。人の口に戸は立てられないっていうけど、本当なのね」

天井を見上げて二階の気配を窺《うかが》ってから、お義母さんは事実関係を話してくれた。

「裸の女の子が外をうろついている」という住民からの通報を受けてお義父さんと部下が現場に駆けつけたとき、真緒は全裸でこの近所の住宅街を歩いていた。夜の二時頃のことだったという。真緒の意識ははっきりしていて、指示にも素直に従ってパトカーに乗ったらしい。状況から事件に巻き込まれた可能性があると判断され、真緒はそのまま市内の病院に収容された。幸い外傷は見つからず、心身ともに異常は認められなかった。記憶がないことを除けば。

話を聞いているうち、僕の息づかいは浅くなってきた。お義父さんに付き合わされたウイスキーのせいではない。不安でたまらないのだ。なぜ、真緒は裸で屋外にいなければならなかったのか。服を脱いだのは自分の意志なのか、それとも誰かの手によって脱がされたものなのか。他人が関わっているとすれば、その人物が記憶喪失の原因なのだろうか。

すっかりぬるくなった飴色《あめいろ》の液体を、僕はそっと口に含んだ。アルコールの香りが鼻の粘膜を撫《な》でていくが、今はとても酔えそうにはない。

とうに冷めたお茶をひと口啜り、お義母さんは話を続けた。

「里子だった時代はもちろんだけど、養子縁組が成立して正式に親子になってからも何年も、いろいろな検査とか治療を受けたのよ。催眠療法という、お医者さんが使う記憶を呼び覚ますための治療法があって、普通の健忘症ならそういうので少しずつでも記憶を取り戻せるらしいんだけど、あの子なーんにも思い出さないの。これっぽっちも」

深刻な話ではあるのだが、お義母さんはむしろ愉快そうに笑った。この人が養母だったおかげで真緒はどれほど救われたことだろうと、僕は頭の隅で考えた。

「だから、お義父さんとお義母さんの間でも病名について意見が分かれてるんですね」

「そうなのよ。あの人はいまだに悩んでいるみたいだけど、私はね、くよくよ考え込むのはやめちゃったの。それまでは本を読んだり人に訊《き》いたりして、素人《しろうと》なりに病名とか治療法を探し当てようとしていたんだけど、真緒が成長していくのを見て、お父さんじゃないけどそれこそ『真緒は真緒』って思うことにしたの。親が言うのはおかしいけどあの子、いい子でしょ、ちょっと変だけど」

血は繋《つな》がっていないし、生まれたときから育ててきたわけでもない。それでも、この人と真緒との繋がりや愛情というものは、手で触れられそうなほどしっかりとしたものに感じられた。

細かい皺《しわ》の走る手を揉《も》みながら、お義母さんは続ける。

「だからもし、発見される以前の真緒の身に何かひどいことが起きていたのだとしても、そんなことに私が振り回されちゃいけないと思うの。過去を気に病んでめそめそしていても始まらないでしょ。それにね、あの子は呑気《のんき》だから、何かされたとしても当時はわかっていなかっただろうし、心の傷なんかになっていない。そう思うのよ」

最後は、自分に言い聞かせるような調子になっていた。

お義母さんはずっと、この不安と闘い続けてきたのだろう。そして、娘に記憶がないことに救いともどかしさの両方を感じていたのだろう。幼い真緒を虐《しいた》げた人間がいるのかもしれない。辱《はずかし》めた人間がいるのかもしれない。しかし、それを確かめる術も覚悟もない。

義理の母に話すべき事柄かどうか迷ったが、僕は自分が把握している事実を告げることにした。

「ええと、彼女がその、虐待《ぎゃくたい》を受けたかどうかは確認しようもないですけど、少なくとも最後の一線というか、そのへんはそのー、無事でした」

「はい？」

　聞き返してくるお義母さんと目を合わせられず、僕はコースターにできた小さな水《みず》溜《たま》りに向かって打ち明けた。

「ですから、僕がなんと言いますか、デビュー戦の相手と申しますか、そういう次第でして。あ、中学のときじゃないです。今年、今年の話です。びっくりしましたけど、二十代半ばまで彼女はそういうことには——」

「ああ！」

　わかってもらえたらしい。

「すいません。こんな、聞きたくもない話を」

「いいのよ。旦那さんが謝ることじゃないでしょう」お義母さんの小さな目から、ふいに涙が零《こぼ》れ落ちた。「あらやだ。なに泣いてるのかしら。気に病んだりしないなんて言ってたくせに、気に病んでたんじゃないの、ねえ。だけど、そう、こんな歳《とし》まで……。親が言うことじゃないけど、今どきの人じゃないみたいね」

　相手の笑顔を見て、僕の緊張も一緒に解けた。

「いや、そういう人もわりあい多いみたいですよ。なんだかんだいって二十代はみんな会社にこき使われて忙しいですし、せめて週末くらいは誰にも邪魔されずに眠りたいというのが実態ですから」言いながら、これではセックスレス夫婦の言い訳のように聞こえてしまうのではないかと心配になった。「でもその点、うちはほんとに仲がよくて、覚えてからはむしろ真緒の方が貪欲《どんよく》なくらいで——」

お義母さんの唇の端がつり上がった。しまった。口が滑った。ウイスキーなんて普段口にしないものを飲んだからだ。

再びコースターに目を落とし、僕はしどろもどろで続けた。

「つまり人並みにその、心身ともに元気なので、子供の頃に変なことはされてないはずです。えー、一般的に、性的虐待を受けた女性はそれがトラウマになって、成人してからも男を避けるようになりやすいなんていいますけど、そんな気配は微塵《みじん》もないですから。だからそのー、裸で歩いてたのは単純に暑かったから、とかですかね」

言えば言うほど深みにはまっていく僕を見て、お義母さんはおかしそうに笑った。

「真緒が保護されたのは五月のことよ。あのね、そんなに気を遣わなくていいのよ、真緒が浩介さんに大事にしてもらっていることはわかっているんだから」はたくように手を振り、それから僕に尋ねてくる。「あの子は、ちゃんと奥さんやってる？　浩介さんを困らせてない？」

「困らされてないです。いい奥さんです、ほんとに」

お義母さんはそっとため息をついた。

「そうだといいけど。もう、親がどうこう言うような歳じゃないのに、それでも心配しちゃうのよね。自分が産んだ子じゃないからかしら」

「いいえ、お義母さんと彼女は実の親子となんにも変わらないと思いますけど」

僕のお世辞は微笑で受け止められた。

「真緒のことを考えるとね、思い出し笑いしたり気を揉んだりで忙しいのよ。うちは結婚して三十年以上だけど、真緒のおかげでこの十年あまりは本当に充実してたと思うの。でもねえ、まるで空から降ってきたみたいに突然現れた子だからなのか、また突然どこかへ行ってしまうんじゃないかって、ときどきそんなことを考えちゃうのよ。ばかばかしいでしょ。自分でもわかってるの。どうしてかたまにそんな夢を見ちゃって、夜中に目を覚ますのよね。だってあの子、お正月に温泉旅行に連れて行ってくれたのはいいけど、夕飯の席で急に真顔になって『お父さんとお母さんの子でよかった』なんて言うのよ。そんな別れの挨拶《あいさつ》みたいなこと言われたら、かえってそわそわしちゃうじゃないねえ。お父さんは感極まって泣いちゃうし、おかしな雰囲気になっちゃったわよ」

別れの挨拶、という言葉がいやに耳に残った。思えば、旅行の代金を自分が持ったことについて、真緒は「最初で最後の親孝行」だと表現していた。単なる偶然だろうか。

ほかにもどこかで、別離を連想させる場面に居合わせた記憶がある。そうだ、玄関で山井さんを見送ったときだ。真緒は山井さんの手を取り、目に涙を浮かべて「元気でね」と繰り返していたのだ。

真緒には、そんな予感があるのだろうか。

馬鹿《ばか》な。「最初で最後の親孝行」というのは誰でも口にするような照れ隠しの言葉だし、山井さんのときは酔っていただけだ。

「どこにも行きませんよ、真緒は」

むやみに刺々《とげとげ》しい声を発してしまった僕は、小さくなって水割りの残りを口に運んだ。

5

顔色は悪くない。熱もない。会社にも休まず通っている。

一見したところ、真緒に変化は見受けられない。ただ、僕には少しずつ生気が抜けてきているように思えてならなかった。

彼女の実家でお義母《かあ》さんから妙な話を聞かされたから、こちらが過敏になっているだけなのだろう。そう思いたいのだが、土曜の外出に以前ほど熱心でなくなったことや和室の陽だまりで昼寝をする姿が頻繁に見られるようになったことを考えると、それだけではないようにも思える。

真緒はこれまでと同じように、いや、それ以上に僕を愛してくれている。注がれる愛情の量と濃さは、いささか鬱陶《うっとう》しく感じられるほどだ。こういうことを自分で言うのは面映《おもはゆ》いが、事実だ。

たとえば休日。

暇つぶしにコンビニにでも行こうと立ち上がると、畳の上で寝息を立てていたはずの真緒が「どこ行くの？」と身を起こし、毛布を撥《は》ね上げてついてくる。

週末の買い出しもそうだ。必要な物をリストアップしてくれれば自分一人で行けると言っても、「浩介の素材選びは当てにならない」と、真緒は必ずついてくる。そして「疲れた」と弱々しく呟《つぶや》き、僕の心配顔に気づいて「あ、うそ」と無理して微笑《ほほえ》むのだ。最近は僕に対するアンテナを常に張っているような節があって、用があろうとなかろうと僕のそばにいたがる態度は、まるで中学時代に戻ってしまったかのようだった。

あるいは夜。

そろそろ寝ようとダイニングキッチンのテレビを消すと、真緒が「まだいいじゃない」とまたスイッチを入れてしまう。

「明日も早いんだし、もう寝ようよ」

僕がそう言っても、真緒は聞かない。

「もうちょっとだけ起きてようよ。なんか面白い番組やってるかもしれないし」

自分もあくびをかみ殺しているくせに、真緒はそんなことを言ってチャンネルを次々と替える。

「どうせこの時間は内輪ウケのトーク番組ばっかりだよ。見てもつまんないって」

「じゃあ、私たちで内輪ウケのトークしよ？」

「なんでそうなるかな」

「いいからいいから。ええとね、この前ね——」

とりたてて聞いてほしい話もないようで、「会社に掛かってきたちょっとアレな人からの電話」だの、「この秋クールのテレビドラマの低調ぶり」だのと、その場でひねり出す真緒の話にはヤマもオチもなく、概して退屈だった。

眠気に負けて僕の相槌《あいづち》が淡泊になってくると真緒はにわかにあわてだし、「お茶淹《い》れようか」「羊羹《ようかん》切る？」といやに気を遣う。そのどこか焦《あせ》り気味の様子は一見ほほえましくも、何か重苦しいものを感じさせた。

ようやく話し疲れてベッドに横になったのに、相手が触れてきたおかげで眠りに就いたのはさらに後、ということもたまにある。そんなとき、僕は必ず求めに応じる。五月の夜に裸で歩いていたという真緒の姿が瞼《まぶた》の裏にちらついてしまい、目を閉じていられなくなるのだ。真緒の身に起きたかもしれない悲しい出来事を塗りつぶしてしまおうと、僕は彼女の華奢《きゃしゃ》な体を夢中で抱いた。

真緒は真緒で思うところがあるらしく、しきりに僕の肩や背中、腕などを触ってきた。頬を両手で挟まれたり、髪を指で梳《す》かれたりしたこともある。それは愛撫《あいぶ》というのとはまたちがうもので、体温や触り心地を確認するような、そんな手つきだった。

そういえば、真緒が口ずさむ「素敵じゃないか」をしばらく聴いていない。料理のときだけでなくプランターの植え替えやビーチ・ボーイズのエサやりなど、なにかにつけ機嫌よく歌っていたのに、このごろではめったに歌わなくなってしまった。陽気なメロディの代わりに真緒の口から発せられるのは、「疲れた」という呟きだった。夏ごろの馬車馬ぶりを思えば信じられないことだが、彼女はしばしば疲労を訴え、ため息をつくようになった。これが、何より心配だ。

今夜も、仕事から戻ってきた真緒はダイニングキッチンでスエードのジャケットを脱ぎながら、またも「疲れた」とこぼした。

他社のことなので詳しいことはわからないが、最近では通常業務に加えて何かの引継ぎ作業に追われているらしい。小さな吐息とともに漏らす「疲れた」という言葉からは、真緒が纏《まと》っている疲労の重さが滲《にじ》み出ていた。

「なんかあったの？」

僕が水を向けると、真緒は「若い子のしつけは、おばあちゃんにはきついわ」と自嘲《じちょう》的な笑みを浮かべた。

なんでも、仕事のいくつかをある後輩に割り振ったらしいのだが、その後輩は説明も終わらぬうちに「あー、そういうの私には無理っぽいかも」と舌を出したそうだ。なるほど、それは疲れる。

「信じられる？　口のきき方から教えてあげなくちゃいけないんだよ？　ちょっと厳しいこと言ったら泣くし。あの子が一人前になるまで面倒みてあげるような時間的余裕なんか、私にないって」

心身の疲労に苛《いら》立《だ》つ彼女に僕がしてやれることは、二つしかない。そのうちの一つは、余計な口を挟まず愚痴に耳を傾けることだ。僕は僕で愚痴を言いたいこともあるのだが、当座は真緒のストレスを減らしてやることが先決だろう。

僕が買ってきた出来合いのメンチカツをさしてうまくもなさそうに口に運びながら、真緒は職場で溜《た》め込んできた不満をぶちまける。「過去の成功にひたってるばかりで危機感のない上の人たち」や「取材に来てやったという態度の、無知なくせに横柄《おうへい》な雑誌編集者」をやっつけるのをただ黙って聞いているのは苦痛だが、それで真緒の気が晴れるのなら、僕は黙っていられる。

駆け落ちして半年あまり、僕と真緒は様々なことを学んできた。沈黙が時として

「愛してる」という言葉よりも深い愛情表現になり得るということも、学んだことの一つだ。黙っている僕にとめどなく愚痴をこぼし続けるのは、真緒がこちらの思いをわかってくれている何よりの証拠だ。

ふと、真緒が箸《はし》を置き、口を尖《とが》らせた。

「ねえ、聞いてるの？　黙ってないで浩介もなんか言ってよ」

わかってくれていなかった。

＊

黙っていても埒《らち》が明かないことが判明したので、「心身の疲労に苛立つ真緒に僕がしてやれること」の二つめを実行することにした。

「お花のおせわ？」

ベランダの手すりの外から発せられた幼い声に、僕は尻餅《しりもち》をつくほど驚いた。見ると、隣室のベランダとの間仕切りの陰から小さな顔がちょこんと覗《のぞ》いていた。平岩家のしゅう君だ。

「あぶないよ、落っこちちゃうよ」僕は立ち上がってしゅう君をフェンスの内側まで下がらせ、手すりから身を乗り出して彼の足元を確かめた。どうやら、空の植木鉢を踏み台にしたらしい。「しゅう君、植木鉢乗っちゃだめだよ。あぶないからね」

三歳児の理解力に合わせようとすると、こちらの声のトーンまで幼くなってしまう。

しゅう君は「うん」と素直に頷《うなず》き、それから尋ねてきた。「おじさん、カゼひきさんのおねえちゃんは？」

僕は「おじさん」で真緒は「おねえちゃん」か。同い年なのに。

「お姉ちゃんはね、いま台所でお昼ごはん作ってる」

「ママもつくってるよ。スパゲリー」

「そう、スパゲティか、よかったね。じゃあ、ママの所に行こうか」

計画の円滑な実行のためには、かわいそうだが人払いしておく必要がある。

「おじさんなにしてるの？　お花咲くの？」

まったく、人なつこい子だ。

「ええとね、そうだよ。お花を咲かせるの。お姉ちゃんが大好きなお花」

「ママもお花好きだよ。しゅうはね、これが好き。コアラ」

しゅう君は、手にしているコアラのぬいぐるみを突き出すように見せてくれた。おそらく、動物園で買ってもらったのだろう。

「あーほんとだ。コアラだねえ」

あからさまに適当な相槌にも、しゅう君はしっかり頷いてくれる。こちらが申し訳なくなるほどのすこやかさだ。

コアラの首をむんずと摑《つか》んだまま、しゅう君が言った。

「おねえちゃんのおカゼ、よくなるといいね」

いわゆる「お姫様だっこ」を見られたのはもう半年以上も前のことなのだが、この子はその後もずっと真緒が風邪をひいているものと思い込んでいるらしい。

「そうだね。よくなるといいね」本当に、よくなればいいいと思う。「じゃあしゅう君、そろそろママの所に行こうか。しゅう君がお手伝いしてくれるとママ、喜ぶよー」

「わかった。ばいばい」

しゅう君はサッシを力いっぱい開き、「ママー」と大声で室内に駆けていった。

風のない日曜の正午。じつにのんびりした空気の中、僕はプランターに慎重に手を加えた。目立たず、かつ確実に目に留まる配置というのはむずかしいものだ。

なんとかセッティングを終えた僕は、キッチンで立ち働いている真緒にそしらぬ顔で歩み寄っていった。

点《つ》けっぱなしのテレビから、「秋の一般公開が行われている京都御所では」と、原稿を読み上げるニュースアナウンサーの落ち着いた声が聞こえてくる。

「なあ、プリムラってやつだっけ？　ベランダのプランター、花咲いてるぞ」

インスタントラーメンに入れる長ネギを刻みながら、真緒が鼻で笑った。

「プリムラが？　まさか。朝見たときは蕾《つぼみ》もつけてなかったよ。そんなことより、手が空いてるんならゆで卵の殻でも剝《む》いてくれない？」

「ちょっと見てくればいいのに。きれいなのが咲いてんだから」

僕は真緒のそばに立ち、プラチナのリングが光る左手をそれとなく調理台の縁に置いた。が、相手は気づく様子もない。

「そこどいて。ほら、することないなら殻剝いてよ」

鍋《なべ》の中の麵《めん》をほぐし、液体スープを丼《どんぶり》に開けと、真緒は忙しく立ち働いている。まったく、取りつく島もない。

「三十秒でいいから、確かめてきなって」

「それ、どうしても今じゃないとだめ？　こっちはものすごく忙しいんだけど」

よりにもよって最悪のタイミングを選んでしまったようだ。万が一カラスにでも持っていかれたらと焦ったのが失敗だった。だが、もう遅い。

「怒るなよ。ほんのちょっと見てくれれば済む話なんだから」

「そんなのあとでいいでしょ。いま卵を剝いておかないとラーメンがのびるの。とにかく忙しいの」

「段取りが悪いんだよ。麺を茹でる前に殻を剝いとけばよかったんじゃん」

真緒が手を止め、すうっと息を吸い込む。ヤバイ。

「浩介がお昼ラーメンがいいって言ったからラーメンにしたのに、そういうこと言うわけ？　ゆで卵とかホウレン草とかも入っていた方が豪華になると思って、サービスのつもりで追加してあげたんだよ？　それなのになんなの浩介、お客様のつもり？　だいたい、十一月の初めにプリムラが咲くわけないでしょ。呑気《のんき》なこと言ってないで殻剝いてよ」

「いや、ごめん。段取り云々《うんぬん》はおれが言い過ぎた」僕は額の前で両手を合わせた。「鍋《なべ》はおれが見る。殻も剝いておく。だからほら、ほんとに咲いてるんだから見てきてよ」

「なんなのもう」真緒は菜箸を僕に押しつけ、ぷりぷりしながらベランダに向かった。ほどなく、こちらを咎《とが》める声が聞こえてきた。「やっぱり咲いてないじゃーん」

「よく見てみなー」

シンク下の扉にぶら下げたタイマーが鳴り、僕は鍋の火を止めた。屈《かが》んでプランターを調べている真緒の姿を想像すると、自然と笑みが溢《こぼ》れてしまう。

和室のアルミサッシが閉められる音がするのと、弾丸のような勢いで真緒が飛びついてくるのはほぼ同時だった。高速タックルを全身で受け止めた拍子に、喉《のど》の奥が「ぐ」と鳴った。

「どうしたのこれ！　指輪はいらないって言ったのに！」

言葉とは裏腹に、真緒は僕に抱きついたままぴょんぴょんと飛び跳ねた。

「気に入らなかった？」

「気に入らないわけないでしょ！　いつの間に用意してたの？　浩介の見立てじゃないよね。浩介、こんなにセンスよくないもん」

「ひどい言われようだな」

「あ、ごめん。でもこれ、ほんとに私好みなんだもん。どうやって見つけたの？」

一人で結婚指輪を買いに行った顚末《てんまつ》を、僕はせがまれるままに説明した。

計画は、二ヵ月も前から進められていた。まず、プレゼントしようにも号数がわからなかったので、真緒の目を盗んでアクセサリーケースからいくつかの指輪を取り出し、自分の指に嵌《は》めてみてサイズを体で覚えた。じつは寝ている真緒の薬指に糸を巻きつけて指周りを測ってみようともしたのだが、この方法は相手の寝相の悪さの前に阻《はば》まれた。

サイズ計測の次は購入だ。

銀座の中央通りに面する貴金属店に男一人で入るのはひどく勇気が要《い》ったが、山井さんによるとその店が大学当時の真緒の憧《あこが》れだったらしいので、僕はほとんど強盗に入るような意気込みで高い高い敷居を乗り越えていった。

明らかに女性向けの店舗内で僕は見事なまでに浮いていたが、応対にあたった女性店員はとても親切にしてくれた。「駆け落ちしたために婚約指輪を用意できなかったので、せめて結婚指輪だけはこっそり用意して妻を驚かせたい」と説明すると彼女は大いに乗り気になり、まるで自分の指輪を選ぶかのように熱心にピックアップしてくれた。

「出来上がったらすぐ渡すつもりだったんだけどさ、タイミングを見計らってたらこんなに遅くなっちゃった」

僕がそう言うと、真緒は子ザルのようにいっそうきつくしがみついてきた。

「まったく、無駄遣いして。この指輪、死んでも離さないから」

「そりゃまた大げさな」

「ほんとだよ？　後生大事にする。もう肌身離さない」

時代がかった感謝の言葉に、僕は声をたてて笑った。

指輪のデザインについては、「毎日料理をされる方でしたら、立て爪《づめ》じゃないほうが楽かもしれないですね」という販売員の言葉に従って、でっぱりの小さなタイプを選んだ。その上で品を保てる程度にダイヤモンドを奮発したのだが、ダイヤの指輪に付き物の「ゴージャス」だとか「ラグジュアリー」だとかのイメージの物は避け、真緒が好みそうなS字の可愛《かわい》らしいデザインを選んだ。とりあえず、気に入ってもらえたようでうれしい。

「そうか、後生大事にしてくれるか。じゃあ何十年後かに真緒が死んだときは、葬儀屋に内緒で棺桶《かんおけ》に入れてあげよう。それまではせいぜい肌身離さず着けてなさい」

「ありがとね。ありがとね。浩介のこと大好き」

「それはどうも。さっそくだけど、指に嵌めてみようか。ちょっと貸して」

「うん」

真緒はようやく体を離し、握りしめていた指輪を僕に手渡した。目尻の涙を拭《ぬぐ》ってはにかむ彼女は、わが妻ながら見惚《みと》れてしまうほど美しかった。

差し出された左手を取り、ダイヤモンドがきらめく指輪を薬指に近づける。もう半年あまりも一緒に生活している相手なのに、緊張で手が震えてしまった。

「うはははは。ちょっとタイム」

「いやー、なんか変にかしこまっちゃうね」

顔を見合わせて笑いあう。

練馬の賃貸マンションのダイニングキッチン。テレビではニュースが終わり、のど自慢番組が始まっている。指輪交換をする環境としてはあまりにも垢抜《あかぬ》けないが、そんなことはどうでもいい。大事なのはタイミングやシチュエーションではないということは、妻のとびきりの笑顔が証明してくれている。

「では」

気を取り直し、指先に位置を合わせて通す。指輪は滑るように真緒の指を伝い、そのままなんなく指の付け根に届いてしまった。

「あれ？」

僕は首を傾《かし》げた。

「ありゃまー」真緒が苦笑する。「ちょっとゆるいね。浩介、サイズ確かめないで買っちゃったでしょ？」

そんなことはない。購入後も真緒の留守を見計らってはほかの指輪とサイズを比べ、彼女の指にぴったりであることを繰り返し確認していたのだ。その中にはこの結婚指輪と同じS字にカーブしたデザインのものもあったから、デザインが原因ということでもない。着け心地に多少の違和感が生じることはあり得るとしても、これほどあきらかに合わないということは考えにくい。

「真緒、痩《や》せた？」

発した僕自身がたじろぐほど沈んだ声に、真緒は一瞬体をこわばらせた。が、咄嗟《とっさ》に笑顔を浮かべる。

「あ、うん。じつはダイエット中。どうせすぐリバウンドするよ」

嘘《うそ》だ。あいかわらず小食だが食事量は減っていないし、このごろ休みの日は寝てばかりいるのだから、ダイエットなんてしているはずがない。太ることはあっても、指輪のサイズが変わるほど痩せるのは考えられない。

「調子が悪いなら、一度病院に──」

「大丈夫だって。変な心配しないで」

屈託なく笑う顔の血色はよく、たしかに病気のようには見えない。しかし──

「問題ないなら問題ないで、医者の診察受けてそれを証明してくれ。心配するなって言われても心配なんだよ、最近やたらと『疲れた』って言うし」

「私、そんなに言ってる？」

「なんだ、自分で気づいてなかったのか。毎日言ってるよ。とにかく病院に行ってくれよ」

「うん。考えとく」

真緒は曖昧《あいまい》に頷き、身につけたばかりの結婚指輪を見つめた。指を上に向けると、プラチナの輪がわずかにずり下がってしまう。

「これじゃ、サイズ直ししないとだめだな」

真緒が首を横に振った。

「そんなの、しなくていいよ」

「だけど、ゆるゆるだと落とすぞ」

「やだ。直したらもう、浩介が選んでくれた指輪じゃなくなる」

「変な理屈。そういうもんなの？」

「そういうもんなの。だから、ガツガツ食って体を指輪に合わせる。浩介だって、ムチムチな方が好みなんでしょ？」

「ムチムチとまでは言ってないけど、まあ、少しくらい太ってくれた方が安心できるな」

「じゃあさっそく食べて太ろう。お昼なんにする？」

「ん？」

「……あっ」

僕らは同時にガスレンジを振り返った。

のびきってうどんのようになったインスタントラーメンを啜《すす》る間、真緒は幾度となく左手を見つめては「うひゃひゃひゃひゃ」とくすぐったそうに笑った。

狙《ねら》いどおり、真緒は元気になってくれた。指輪の効果は絶大で、ふやけた笑い声は昼寝中の和室からも夜の浴室からも、たびたび聞こえてきた。

夜が更《ふ》けてベッドに入っても、彼女の感激はなかなか収まらない。仰向けに横たわったまま左手の薬指をうっとりと見つめ、「ぐほほほほ」と奇妙な笑い声を発しながら脚をばたつかせる。そうかと思えばこちらに寝返りを打ち、耳をくすぐるような甘い声で「買い物に計画性がない」だの「プランターに隠すなんて演出はベタすぎ」だのと辛辣《しんらつ》な批評を加え、首もとに顔をうずめてくるのだ。こんなに快活な真緒を見るのは久しぶりだ。

もしかしたら、ダイヤモンドから放射されたナントカエネルギーの類が、真緒の体調を改善してくれているのかもしれない。

僕はそんなニセ科学めいたことまで夢想した。この際、きっかけは鰯《いわし》の頭でもなんでもかまわないから、真緒の表情から翳《かげ》りを取り去ってしまいたい。

しかし、指輪の効果もそう長くは続かなかった。

＊

ぴちゃん、という音に足が止まった。

冷たい水が靴下のつま先にじわりと滲《し》み込む。

なんてことだ。新品のスーツが濡《ぬ》れないようにと雨の中をそろりそろりと歩いてきたのに、我が家に戻ったとたんに裾《すそ》を濡らしてしまった。

足元の床に、ケーキ皿ほどの大きさの水たまりができていた。口の中で小さく毒づき、靴下とスーツのパンツを脱いでから床を雑巾《ぞうきん》で拭う。

雨漏りだろうかと天井を見上げたが、その様子はない。もしやと思い水槽の中を覗《のぞ》いてみたら、案の定リュウキンが一匹足りない。いなくなったのは、いつも仲間から離れて泳いでいたブライアンのようだ。水槽の外面とその下の台が濡れているところを見ると、跳ねて外に飛び出したのかもしれない。しかし、水槽の周囲を調べても更紗《さら》《さ》模様のリュウキンの姿は見つからなかった。

真緒が先に帰ってきているようなので、心当たりを尋ねようと僕は寝室の扉を開けた。灯りが落とされているのでよく見えないが、寝息がかすかに聞こえる。

またた。こういうことは以前にもあったのだが、最近は目立って増えてきている。

ブライアンの行方を尋ねるのはあきらめてドアを閉めようとすると、ベッドの中で真緒が動く気配がした。

「ああ、おかえり」

寝起きのかすれた声は、ベランダの手すりを叩《たた》く雨音にかき消されそうなほど弱々しい。

「ただいま。起こした？」

「いま何時？」

「十時ちょい過ぎ」

「ああ、もうそんな時間。待って、いまご飯作るから」

真緒は身を起こし、ベッドサイドランプを灯した。クリーム色のパジャマをつけた、眠たげな顔が浮かび上がる。

「いいよ、適当に食うから寝てなよ」

「ううん、鰤《ぶり》の切り身買ってあるの。おいしそうなやつ。今日食べないと傷《いた》むから」

そう答え、首から提げられたネックレスをパジャマの中にしまい込む。大きすぎる結婚指輪を細身のプラチナのチェーンに通し、真緒はペンダントトップ代わりにしていた。

　なんの加工もされていない指輪をそのままぶら下げているだけなので、アクセサリーには不案内な僕の目にも、そのデザインは少々野暮ったいものに映る。それでも、本人はいたく気に入っているようで毎日身につけてくれている。渡したその日のうちに自分の指輪をケースに戻してしまった僕には、そこまで大切にしてくれることが申し訳なくさえ思えてくる。

　ベッドから離れてカーディガンを羽織った真緒は、とろんとした目のまま背伸びして僕にキスをした。

「なあ、ブライアンいないんだけど」

「ごめん、その前にちょっとトイレ」真緒は僕の姿を見てクスクスと笑う。「ねえ浩介、その格好変質者みたいだよ」

　そう告げると真緒は寝室を出て、お尻《しり》をぽりぽりと掻《か》きながら個室に入ってしまった。たしかに、上がスーツで下がトランクスというのは人としてまずい。

　部屋着に着替えようと寝室の照明を点《つ》けると、真緒の枕《まくら》に何か黒く細長い物が落ちているのが目に留まった。

　近づいてよく見ると、それは数十本もの髪の毛だった。

ただの抜け毛という量ではない。ひと束ごっそりと抜けてしまったような有様だ。

動転した僕は、着替えることも忘れて毛髪を拾い集めた。この長さと柔らかさは、まちがいなく真緒のものだ。

「真緒！　真緒！」僕がダイニングキッチンに飛び出すと、真緒がちょうど個室から出てきたところだった。「真緒、髪の毛これ、どうなってんだよ」

「あ」

動転したのだろうか、真緒は咄嗟に僕の手から髪の束を奪い取ろうとした。手を体の後ろに素早く隠し、僕は尋ねた。

「前からなのか？」

「知らない」

目を見開いたまま、真緒は首を横に振る。この顔は何か隠している。

「病院に行こう。今日はもう無理だけど、土曜にはぜったい行こう」

「そんな、たいしたことじゃないよ」

「どこが！」つい、声を荒らげてしまった。「心配なんだよ！　真緒はなんかの病気に罹《かか》ってんじゃないかって。もうずっとこんな調子だし、ぴったりのはずなのに指輪はゆるいし、こんなにまとまって髪が抜けるし。ほんとこれ、ただごとじゃないぞ。

簀巻《すま》きにしてでも病院連れてくからな」

　僕から視線を外し、曖昧な笑顔で真緒は呟《つぶや》いた。

「髪はそれ、生え変わりだよ、生え変わり。夏毛から冬毛に――」

「ほんとに怒るぞ！」

　口をついて出た大声に、彼女がビクッと身をすくませる。

　ひどい空気だ。相手を安心させようという軽口が僕を憤《いきどお》らせ、相手を思うあまりに発した言葉が真緒を怯《おび》えさせてしまう。

「……ごめん。また怒鳴っちゃった」

　僕が謝ると、真緒はパジャマの上からそっとペンダントを握った。

「どうしても、病院に行かないとだめ？」

「だめだよ。専門家にちゃんと調べてもらおう」

「でも、問題なんて見つからないよ。行っても行かなくても同じことだよ」

「なんでそういう投げやりな言い方するんだよ。自分の体だろ」

「自分の体だからわかるの」

「何をだよ。どう『同じこと』なんだよ。ずっとこのままなのかよ」

　真緒を責めるつもりはないのに、どこか達観したような物言いについ喧嘩《けんか》腰《ごし》になってしまう。

「ずっとこのままってことはないから。それはないから」こちらを見上げた眼差《まなざ》しの思いがけぬ強さに気圧《けお》され、僕は言葉に詰まった。真緒が続ける。「ごめんね、心配させちゃってるね。私が元気じゃないと浩介だってしんどいでしょ。せっかく結婚したのに、これじゃつまんないよね」

「つまんないとか面白いとか、そういうことじゃない。もし真緒が重い病気だったらどうしようって、不安でしょうがないんだよ。ちっとも面白くなくてもいいんだよ」

　真緒は小さく頷《うなず》き、そっと僕の胸にもたれかかってきた。

「ごめんね、本当に」

　僕は「変質者みたい」な姿のまま、両手で真緒の体を抱きすくめた。腕の内側に肩甲骨《けんこうこつ》が当たる。前からこんなに薄い背中をしていただろうか。

「病院、行こう」

「……うん」

＊

「ね、なんともなかったでしょ？」

電車のドアに寄りかかりながら、真緒が得意げに顎《あご》を上げてみせた。初冬の陽光は昼近くになってもなお低く、ガラス越しに真緒の虹彩《こうさい》を栗色《くりいろ》に輝かせている。

病院に行こうと決めてから十日あまりが経《た》っていた。真緒は先週の土曜に区内の大学病院で検査を受け、ちょうど一週間後の今日、その結果を知らされた。

「異常なし」、だった。

「疲労かストレス。不調の原因を強いて挙げるなら、そのくらいしか考えられませんね。先週お伝えしたとおり、血液検査でとりたてて悪い数値は出ていませんし、レントゲンも問題なし。お見受けしたところ、ご主人がおっしゃるような円形脱毛症の傾向も見られない。ですから病名はと尋ねられても、お答えしようがないというのが正直なところなんですね。ほかにご主人は過去の記憶障害との関連性も疑われているようですが、その線もちょっと考えにくいですね。あと、自律神経失調症なんじゃないかとも言われてましたけど、奥さん自身に自覚症状がない以上、それもちょっとねえ。ですから、メンタル科に回っていただいたところで診断は同じようなものになるかもしれませんね」

中年の男性医師は、血色のいい丸い顔におだやかな笑みを浮かべてそう述べた。名のある大学病院の医師が各種の検査の結果を受けてそう言うのだから、素人《しろうと》が口を挟む余地はないのだろう。

これで一件落着だ。真緒は病気じゃなかった。すべては心配性の「ご主人」の取り越し苦労だった。めでたしめでたし。

そのはずなのに、僕の心は窓の外のようには晴れてくれない。

緑とオレンジの帯を巻いた湘南新宿ラインが、加速しながら僕たちの乗った山手線を追い抜いていく。

「なあ、どこに行くのか、そろそろ教えてくれてもいいんじゃないか?」

尋ねても、真緒は思わせぶりな笑みを浮かべて窓の外を見つめるばかりだ。

病院を出てすぐ、真緒は「今からちょっと遠出したいんだけど」と切り出してきた。体調のことが少々気がかりだったが、師走《しわす》にしては暖かい日で、なにより彼女から出掛けようと持ちかけてくるのは久しぶりだったので、僕は反対しなかった。

秋葉原駅で下りの総武線に乗り換えたところで、うすうす目的地を察した。このまま船橋駅まで行き、東武野田線に乗り換えれば四つ先が鎌ヶ谷駅だ。

「ちょっと、泊まりの用意してないぞ。それに、いきなり押しかけたらお義父《とう》さんたちにも悪くないか?」

「実家に行くとは言ってないよ。途中まで方向が同じなだけ。船橋に着いたら起こして」

真緒は一方的に告げると、僕の肩に寄りかかってコトンと眠ってしまった。やっぱり、鎌ヶ谷に行くんじゃないか。

船橋駅で総武線を降りた僕たちは、隣接するデパートの中で食事を済ませると今度は東武野田線に乗った。キャベツ畑と新興住宅街の入り混じる車窓を眺めて十分あまり、降りたのは予想どおり鎌ヶ谷駅だった。

車の通りの少ない細道を進み、小学校の裏門の前を折れてクランク状の急坂を下る。いつものコースだ。

「もう完全に、渡来家お泊まりコースなんですけど」

「ところがこれが、ちがうんですな」

真緒は思わせぶりに首を傾《かし》げる。

僕がこの町に住んでいた頃にはなかった坂下の新興住宅街を横切ると、今度は幅の広い階段を上る。高台に出て少し歩けば渡来家だ。

が、いつもなら左に曲がるはずの十字路で、真緒は「そっちじゃない」と僕の手を反対方向に引っぱった。その先にあるのは、僕が中学三年の夏まで住んでいた家だ。

「弟から聞いたんだけどさ、昔住んでた家はもう建て替えられちゃったらしいぞ」

「知ってるよ。私だって春先までこの町に住んでたんだから」

「じゃあ、どこへ？」

「まあなんにせよ、思い出の地ですよ」

真緒はとぼけ、繋《つな》いだ手に力を加えた。いつもの散歩のように、小春日《びよ》和《り》の郊外の町をゆっくりと歩く。

もしもかつての同級生に出くわしたら、二人の馴《な》れ初《そ》めをどう説明しよう。

そんなことを考えて一人で警戒と期待の間を揺れ動いていたが、子供会の役員だったおばさんに驚かれたほかは知り合いと再会することはなかった。

「畑だった所に家が建ってたり、古い家が建て替えられてたりで、なんだか懐《なつ》かしいって感じでもないな。初めて来た町みたいだ」

僕が首を傾げると、真緒はあたりを見回した。

「浩介が引っ越していって、もう十年以上だからね。背が伸びて目線の高さも変わってるから、余計にそう感じるんでしょ」

「なるほど。それもあるだろうな」

かつて我が家があった土地の前を素通りしてなおも進み、手を引かれるままに苔《こけ》の浮いたブロック塀の角を折れると、鮮やかな黄色が視界いっぱいに広がった。

銀杏《いちょう》公園だった。かつての面影が薄れてしまった住宅街の中、銀杏の木だけは今も変わらずどっしりと公園の入り口に聳《そび》えていた。あの秋の日と変わらぬ色の衣装を纏《まと》ったその姿は、気の毒なほど職務に忠実な門番を思わせる。

「ああ、あの木、懐かしいな」

「でしょ？　あそこはまだ昔のままだよ」

急に歩を早めた真緒に引きずられるようにして、大きく枝を広げた銀杏の下をくぐる。狭さといい寂れ具合といい、真緒の言うとおりこの一角は昔と何も変わっていないようだ。

「歩いたら暑くなってきた」

キルティングジャケットをジャングルジムに掛けると、真緒はブランコに腰を下ろした。薄手のセーターの胸元に提げた指輪が、木漏れ日を浴びてときおり光る。背中を丸めてブランコを揺らす姿が中学時代と重なり、僕の心にあの当時の寂しさと安らぎをよみがえらせた。

頭上からプロペラエンジンの音が聞こえてきた。翼を傾けた自衛隊機が、僕たちの頭上を下総基地の方向へ旋回していく。低く単調なこの音を聞くと、鎌ヶ谷に来たのだと実感できる。

「やべ。いま一瞬中学生に戻ってた」僕は意識的に瞬《まばた》きし、二十六歳の顔を取り戻した。「で、なんでここに？」

「だって、来たかったんだもん」

真緒はさも当然のようにそう答えた。

風が吹き、黄色い葉が頭上からいくつも落ちてきた。二階家よりもなお高いその木を、僕は下から仰ぎ見た。

「この木、もう生長止まってるのかな？　十年前と大きさが変わってない気がするんだけど」

真緒も銀杏を見上げる。

「私たちにはわからないだけで、たぶん生長してるんだと思うよ。だって銀杏って、千年以上生きるらしいから」

「千年以上か。数字で言われても想像しにくいけど、平安時代から現代までって考えればちょっとイメージできるな」

色も形もアヒルの水掻きによく似た葉を手に取り、真緒はやわらかな陽射《ひざ》しに透かして見た。

「この銀杏の木から見たら、私たちの命なんてあっという間なんだろうね」

「あのな、病院帰りに縁起でもないこと言うなよ」

「ごめん。だけど考えてみて。あっという間だからよくないなんて、誰も言えないよね。だって浩介、千年生きられなくて悲しいなんて思う?」

真緒は真顔で尋ねてくる。正体のわからぬ胸騒ぎを追い払おうと、僕は尖《とが》った声で答えた。

「それは思わないけどさ。とにかく、変なこと口走るのはやめろよ。こんなこと言うとまた医者に笑われるかもしれないけど、病気なのかもってこっちは心配しちゃうんだよ」

「ごめん。……謝ってばっかりだね」真緒はそっと微笑《ほほえ》む。「でもほんとに自律神経失調症じゃないし、円形脱毛症でもないんだよ。調べてみる?」

「うん」

僕は真緒の背後に回りこみ、小さな頭を両手で摑《つか》んだ。胸騒ぎを静められるのなら、サルの毛づくろいの真似《まね》だってしてみせよう。どうせ誰も見ていないのだ。

「ちょっと、ほんとに調べるの?」

戸惑いの声を無視し、何度も角度を変えながら真緒の頭をじっくり観察する。

「おかしいな。あんなにたくさん抜けたのに、どこにもハゲができてない」

首を傾げながら、どこかほっとしている自分に気づいた。真緒がこちらを振り返る。

「だからね、あれは夏毛だったの、夏毛」

「その冗談、本人が思ってるほどには面白くないぞ」

「ひどい」

「で、自律神経の方はどこを見ればいいんだ？」

「さあ。それって運動神経とはちがうのかな？　運動神経なら今でもちょっとしたものだよ」

真緒は立ち上がり、ジャングルジムに近づいていた。

「おいおい、一応は病院帰りなんだから」

僕が止めるのも聞かず、真緒はかつてと変わらぬ滑らかな動きで遊具を登っていってしまった。

「ほら、まだてっぺんで立ててるよ。——おっと！」

頂上で立ち上がった真緒はバランスを崩しかけ、咄嗟《とっさ》に両手をついた。こちらの心臓が縮み上がる。

「くやしいなあ」四つん這《ば》いのまま、真緒は歯嚙《はが》みした。「あの頃に比べるとやっぱり衰えてるんだなあ。こんなとこ立つの、昔は簡単だったのに」

「下りろ。運動神経いいのはわかったから下りろ二十六歳」

遊具のそばで手をこまねいている僕のそばに、真緒は目を輝かせて下りてきた。

「これに登ったの、中学以来だよ。上から見た光景、すっごく懐かしかった。アイス落としたこととか捨て犬見つけたこととか、一瞬でいろいろ蘇《よみがえ》っちゃった」

いつもと変わらぬ相手のペースに、つい笑みが浮かんでしまう。

「まあ、思い出深い地だよな、いろいろと」

ジャングルジムの入り組んだ鉄枠の中で、真緒が目を細めた。

「ほんとに思い出深いよね。二人が出会った場所だもんね」

そうだっただろうか。

「いや、ちがうよ。二学期の始業式の日に教室で会ったのが最初だろ。忘れた？」

僕が訂正すると、真緒はとたんににっこりした。

「憶《おぼ》えてくれてたんだね、初めて私と会った日のこと。とっくに忘れてるかと思ってた」

「あっぶねー。今のはひっかけだったのか。さらっとトラップ仕掛けるなよ」

褒めたつもりはないのだが、真緒はくすぐったそうに身をよじった。

再び吹いた風に巨体を震わせ、銀杏が無数の葉を散らす。体を曲げて鉄枠の隙間《すきま》から身を乗り出し、真緒は頭上の木を見上げた。

「真っ黄色。きれいだね」

舞い落ちる葉の一枚一枚を慈《いつく》しむような眼差《まなざ》しだった。

「こんな場面、ずいぶん前にもあったな」

「あったね」

頷《うなず》く真緒の頰を両手で挟み、こちらに向けさせた。ゆっくりと目を閉じた真緒に、僕は顔を寄せていく。

ところが、唇が触れる寸前になって僕はためらってしまった。

「どうしたの？」

目を開けた真緒が、心配げにこちらを見上げる。

「なんか、閉じちゃう気がしたんだよ、輪が」

「輪って？」

自分でも上手《うま》くまとめられないまま、僕は唐突に訪れた不安を説明した。

「中学のときにここでキスして自分の気持ちがはっきりして、それからおれが逃げちゃって、再会して、結婚して、またここに帰ってきた。これってなんだか輪っかみたいだろ？　でさ、我ながらばかばかしい妄想だとは思うんだけど、ここでキスしてきれいに輪が完成しちゃったら、もう続きはないんじゃないかって、そんな風に感じたんだよ」

「浩介はほんとに、心配性だね」真緒はおだやかな眼差しで僕を見つめた。「私は浩介が死ぬまでつきまとうつもりだよ。ほら、私って執念深いから」

「本当に？」

「本当に」

そう答えた真緒の唇に、自分の唇を重ねる。事故のような勢いだったあの当時とはちがう、ゆったりとした口づけだった。鉄枠を握った手に手を重ね、温かい真緒の唇に少しでも不安を溶かしてもらおうと、僕はしばらく唇を密着させ続けた。銀杏の葉が擦れ合い、頭上で乾いた音を立てていた。

唇が離れると、真緒の瞼《まぶた》がそっと開かれた。

満ち足りた笑顔を見て、どういうわけか僕の不安はかえって強まった。

「真緒」重ねた手に力がこもる。「そんな顔しないでくれよ」

「そんな顔、って？」

「なんか、『もうこれで充分。満足した』っていう感じの顔」

目をくるんと回し、真緒が軽口を叩《たた》く。

「妻が夫とのキスに満足できなかったら、むしろまずいんじゃないの?」

「そういうことじゃなくて。お義母《かあ》さんから聞いたんだけど、草津旅行のとき言ったんだってな、『お父さんとお母さんの子でよかった』って。お義母さんにはそれが別れの挨拶《あいさつ》みたいに聞こえたんだって。真緒、どこにも行かないよな? おれとずっといてくれるよな?」

「やだお母さん、そんなこと話さないでよねえ」

「どうなんだよ、ほんとのところは」

「あのときは、温泉入っておいしいもの食べてお酒飲んで、気が大きくなったんで普段は言えないことをつい口にしちゃっただけ。私って、酔うと恥ずかしいこと口走る癖があるでしょ? それだけのこと。ここに来たのも、ただ単に懐かしくなったからだよ。ほんと、それだけ」

一枚また一枚と、黄色い羽のように降る銀杏の葉の中で、真緒はおかしそうに微笑む。その表情にぎこちなさを感じてしまうのは、僕の思い過ごしだろうか。

*

元気。大丈夫。心配ない。

殊勝な言葉を並べてはいたが、真緒はやはり疲れているようだ。

ここまで来たのに実家に挨拶もしないのは失礼だと言うと、真緒はとたんに不機嫌そうな顔になって「今日はまっすぐ帰る」と言い張った。その一方で、鎌ヶ谷駅までタクシーで戻ろうという誘いには素直に頷く。支出に敏感な真緒が反対しなかったことに、僕は静かに驚いていた。

来たときと同じく、帰りの総武線の車内でも真緒は席に着くなり寝てしまった。起こすのが忍びなくなるほどの熟睡ぶりだった。

電車を乗り継ぎ、大泉学園駅に到着する頃には日もだいぶ西に傾いていた。さすがに風が冷たい。道の途中にあるスーパーに「特売日」の横断幕が出ていたので、寄っていこうかと声をかけた。が、真緒は「今日はいいよ」と答えただけで店の前を素通りしてしまった。

「やっぱり、疲れてるんだろ。無理させちゃったか？」

真緒は首を横に振る。

「ちがうって。冷蔵庫のストックが充分あるから買わないだけ」

マンションの部屋に戻ると、真緒は玄関口に腰を下ろして靴を煩《わずら》わしげに脱いだ。

「あー、疲れた」はっと僕を見上げ、あわてて付け加える。「なーんて言ってみた」

僕はきっと、何か言いたげな表情をしていたのだろう。話しかける暇を与えまいと、真緒は水槽の中のビーチ・ボーイズに「ただいま」と声をかけ、エクステンションテーブルの椅子《いす》にジャケットを掛けた。そのままさっさと奥の和室に進み、窓際《まどぎわ》の障子を開けて畳に腰を下ろす。

ドドッ、と隣室から振動が伝わってきた。しゅう君が椅子か何かから飛び下りたのだろう。

「お茶淹《い》れてー」

畳の上に投げ出した脚をばたつかせ、真緒はわざと甘えてみせた。いつもなら自分でやれと言うところだが、さすがにその言葉は出てこない。

「洗濯物取り込んだらな」

真緒の脚を跨《また》いでアルミサッシを開けたところで、女の絶叫が僕の耳をつんざいた。

「助けて！　誰か助けてーっ！」

断末魔のような悲痛な叫びは、ベランダのすぐ右手から発せられている。手すりから身を乗り出した僕は、西日を受けて逆光になったシルエットを見て声を失った。

しゅう君のお母さんが、上半身をベランダの外に投げ出していた。まっすぐに伸ばされた彼女の両手の先には、トレーナーの上下を身につけたしゅう君。宙吊《ちゅうづ》りになったしゅう君の左腕が、お母さんの手にかろうじて摑まれている。

僕に続いてベランダに出てきた真緒が、金切り声を上げた。

「どうしよう！　どうしよう！」

しゅう君のお母さんが、悲鳴ともつかぬ声で助けを求めた。

「しゅうが落ちちゃう！　パパのケータイに電話してっ。今日、会社のゴルフなの！」

しゅう君に目を奪われたまま、僕は傍らの真緒に叫んだ。

「一一九番だ。消防に電話してくれ、早く！」

「わかった！」

真緒が部屋に駆け込むと同時に、僕は間仕切り板に体当たりした。薄い板は簡単に二つに折れ、僕は声にならない悲鳴を発しながら夢中でお母さんに取りついた。

臍《へそ》あたりまでベランダの外に出ているこの状態では、息子をひっぱり上げるのはまず不可能だ。それどころか、バランスがわずかでも前方に偏《かたよ》ったら母子もろとも転落しかねない。僕は右手の指をお母さんのパンツのベルト穴に通して握りしめ、左手をしゅう君の腕に伸ばした。届かない。

恐怖のために竦《すく》んでいるのか、宙吊りになったしゅう君は暴れるどころか叫び声ひとつあげない。だらりと下がった右手には、大好きだというコアラのぬいぐるみ。

僕は足元に転がっているプラスチックの植木鉢を遠くへ蹴飛《けと》ばした。

以前、この空の植木鉢を踏み台にしてしゅう君が手すりの外に顔を出したことがあった。真緒に結婚指輪をプレゼントした日のことだ。どうしてあのとき、ちゃんと叱《しか》っておかなかったのだろう。

しゅう君の右手から、コアラのぬいぐるみが離れた。

丸みを帯びたグレーのぬいぐるみは、頭を下にしてゆっくり、そしてまっすぐに落ちてゆく。まるでスローモーションだった。同じ速度の小さな影が、マンションの外壁をなめるように落下する。

引き延ばされた時間は、ぬいぐるみが直下の駐車場に叩きつけられた瞬間に元の速さに戻った。音もなく跳ねたコアラはアスファルトを転がり、すぐに動きを止めた。

僕は戦慄《せんりつ》しつつ、なおも手を伸ばした。手すりが肋骨《ろっこつ》に食い込み、ゴリゴリと不快な音をたてる。中指の先がトレーナーの生地にかすかに触れるが、どうしても掴《つか》むところまではいかない。ベランダの柵《さく》は間隔が狭く、隙間《すきま》から手を通すこともできない。

お母さんの両腕が痙攣《けいれん》しはじめた。彼女の力が尽きたとき、しゅう君は為《な》す術《すべ》もなく落ちてしまう。ここは四階、下は硬いアスファルトだ。助からない。死ぬのか？

まだ三歳のこの子が死ぬのか？

しゅう君のあどけない表情が目の奥に蘇る。「お姫様だっこ」を見て丸くなった目。父親の背中で寝息をたてていたときの、汗を浮かべた額。「お花のおせわ?」と尋ねる小さな唇。

嫌だ！　死なれてたまるか！

歯を食いしばり、肩が外れそうになるまで手を伸ばす。つま先立ちした足が攣《つ》りかけ、歯の隙間からよだれが零《こぼ》れ落ちる。が、拭《ぬぐ》っている余裕などない。

しゅう君のトレーナーがずり上がり、中に着ているTシャツが臍のあたりまで見えている。いや、そうじゃない。しゅう君の方がずり落ちているのだ。柔らかいトレーナーの袖《そで》は、いまにも体からすっぽ抜けてしまいそうだ。時間がない。

「一一九番に掛けた！　レスキュー隊が来るって！」顔を上げられる状態ではないが、壊れた間仕切り板を踏む音で真緒が駆け寄ってきたのがわかった。「どうすればいい？　私、どうすればいい？」

物干し竿《ざお》を差し伸べてみたらどうだろう。いや、だめだ。棒にしがみつけるような力は三歳児にはない。洗濯ロープは？　同じことだ。

「とにかく、おれの反対側に回って、そっからしゅう君摑まえられるかやってみてくれ！」

「わかった!」

　僕の背後を横切った真緒が、転げ落ちてしまいそうな勢いで手すりの外に身を乗り出した。僕たちはお母さんを両側から挟む形でしゅう君に手を伸ばすが、あと少しだというのにどうしても届かない。

　お母さんが唇を震わせ、喉《のど》の奥から言葉を押し出す。

「開けて……げ、玄関のドア、ドアを……開けっ放し、に。レスキュー、来るから」

「真緒!」

「うんっ」手すりから離れた真緒が室内に入り、すぐにベランダに戻ってきた。「ここって何号室だっけ」

「そんなのいま関係ないだろ!」

「教えてよ! 頭いっぱいで思い出せないよ!」

「うちが四〇二号室だから、四〇三号室だよ!」

「わかった! 三〇三号室ね!」

「四〇三だよっ」

　僕の声に返事もせずに真緒は駆けだした。

　大声で言い合う声を聞きつけた通行人が、こちらを見上げてぎょっとしている。あわてて携帯電話を取り出し、通報している姿も見える。下の階のベランダからも、いくつか顔が出てきた。

僕はあらんかぎりの声で呼びかけた。

「布団《ふとん》！　布団とかマットレスとか、下に敷いて！　もうもたない！」

ベランダに並んだ顔がすぐさま引っ込んだ。

しゅう君のトレーナーが少しずつ脱げていく。胸まであらわになったTシャツが、西日に照らされ橙色《だいだいいろ》に染まっている。

「ぐっ、うぐ……」

お母さんが呻《うめ》いた。両腕の痙攣が激しい。両目から溢《あふ》れた涙が眉尻《まゆじり》を濡《ぬ》らしている。

「頑張れ！　もうすぐレスキューが来るから！」

「ダメ……、脱げちゃう」

眼下の駐車場には白やピンクの寝具が運び出されている。でも、それだけではあまりにも心許《こころもと》ない。レスキュー隊はまだ来ないのか。

「畜生！」

爪《つめ》の先でもいいからひっかかってくれと、僕はせいいっぱい手を伸ばした。それでもやはり、届かない。

その直後に発せられたシュッという衣擦《きぬず》れの音は、いつまでも僕の耳に残り続けるだろう。

しゅう君のお母さんの両手が空を摑んだ。トレーナーだけを母親の手に残し、小さな体が滑るように降下を始めた。右腕が袖にほんの刹那《せつな》ひっかかったが、力のない腕はすぐにバンザイするような格好になり、あとはなんの抵抗もなく落ちてゆく。反動でお母さんが後ろへのけぞり、たたらを踏んだ。

だめだ。しゅう君が死ぬ。

直下のベランダから、白い影が飛び出した。一瞬、大型犬か何かに見えた。しかし、そうではなかった。

三〇三号室から宙に身を投げ出した真緒が、落下するしゅう君を胸に抱きしめた。逆さになった二つの体が見る間に小さくなっていく。これでは頭から地上に激突してしまう。

見上げる人々の口から発せられた絶望の悲鳴が、真緒と僕を貫いて夕空に拡散する。喉が痛い。僕もきっと叫んでいるのだろう。

真緒は空中で体をぐっと丸め、西日を浴びてオレンジ色に染まる体にしゅう君を包み込んだ。逆さだった体はくるんと半回転した直後に、乱雑に積み重なった寝具の上に墜落した。

「真緒！」

やっと、自分の声が聞こえた。へたり込んでいるしゅう君のお母さんをその場に残し、僕は廊下に飛び出した。エレベーターなど待っていられず、転げ落ちるように階段を駆け下りる。

エントランスから外に出たところで、自分が靴を履いていないことに気づいた。しかし、引き返してなどいられない。敷布団を担《かつ》いで走る人を裸足《はだし》で追い抜く。

南側の駐車場に回り込むと、寝具の山の周りに人だかりができているのが見えた。十人あまりが集まっているが、声を発する者はいない。不自然なほどの沈黙を前にして、駆けていた僕の足が急に重くなった。

真緒の姿がどれほどむごいものになっていようとも、けっして顔をそむけまい。そう心に誓い、僕は人だかりを掻《か》き分けた。

最初に目に飛び込んできたのは、デニムに包まれたお尻だった。

「真緒？」

僕の呼びかけに、四つん這《ば》いの真緒が振り向いた。

生きている。真緒が生きている。

「真緒！」

「しーっ」

唇に当てた人差し指の先を、真緒は布団の上に横たえられた小さな体に向けた。

「……駄目、なのか？」

「まさか！　ちゃんと生きてるよ。でも、かなりショック受けたみたいでぼーっとしてる。あと、左の肩が外れてるかも」

見ると、しゅう君のTシャツの胸がゆっくりと上下していた。左腕にできた痣《あざ》の色濃さが、母親の執念を思わせる。

しゅう君はまるで魂が抜けてしまったようだった。たまに思い出したように瞬《まばた》きをする以外は、身じろぎひとつしない。

「しゅう君、しゅう君」

真緒が頬を軽く叩《たた》くが、反応は薄い。

「しゅうっ！」

頭上から発せられた張りつめた声に、僕と真緒、それから周囲の人々が揃《そろ》って顔を上げる。声の主はしゅう君のお母さんだった。

「ママッ」母親の声で我に返ったしゅう君は飛び起き、左肩を押さえて火がついたように泣きわめいた。「いたい、いたいーっ」

しゅう君には気の毒だが、泣いてくれたことで僕も真緒もようやく安心できた。

ほかの階に住む中年女性が、Tシャツ一枚のしゅう君をそっと毛布で包んだ。

「痛いよねえ、しゅう君頑張ったね。いま救急車来るからね、ピーポーピーポーって。そうしたらお医者さんがすぐ治してくれるから、もうちょっと頑張ろうね」

子供の甲高い泣き声が、徐々にその場の空気を日常のものへと戻していく。魔法をかけられたかのように黙りこくっていた周囲の人々の口からようやく、「よかった」や「救急車は?」という声が漏れはじめた。

「あ、倒れた」

周りの誰かがそう口走った。見上げると、ベランダから顔を出していたお母さんの姿がない。すかさず何人かがエントランスに走っていった。

「浩介」

真緒がこちらに向き直った。

「なに?」

「もう、『疲れた』って言ってもいいよね?」

「当然だろ」

「あー、つかれたー」

真緒が伸びをすると、周囲から笑いが起こった。

「どうも」と恥ずかしそうに頭を下げる真緒のそばで、僕は三〇三号室のベランダを仰ぎ見た。目も眩《くら》むような高さというわけではない。が、十キロ以上はある子供を抱えて落ちて無傷でいられるほど低いわけでもない。

「あっ」

真緒はにわかにはっとした表情になり、セーターの胸のあたりを探った。そして、指輪が外れていないことを確かめると大きく息をついた。

自分の体よりも指輪を心配する真緒に苦笑したあとで、僕はもう一度ベランダを見上げた。

〈まるで空から降ってきたみたいに突然現れた子だからなのか、また突然どこかへ行ってしまうんじゃないかって、ときどきそんなことを考えちゃうのよ〉

義母の言葉が、つい思い出されてしまう。

「まさか」

僕の呟《つぶや》きは、近づいてくる救急車のサイレンにかき消された。

「おかげで本当に助かりました。いやもう、なんとお礼を言ったらいいか」

病院の玄関まで見送りにきたしゅう君のお父さんは、こちらが恐縮してしまうほど繰り返し頭を下げた。

真緒はジャケットを羽織りながら、「当たり前のことをしただけですから」と事もなげに答えた。マンション三階からのダイブって、当たり前のことか？

お礼を言うだけでは気が済まないらしいお父さんが、「せめてタクシー代くらいは出させてください」と財布から一万円札を取り出したので、僕はあわてて固辞した。

「あ、いや、たいした距離じゃないですし、ほんと、大丈夫です。お気持ちだけ頂きます」

まごまごしているとポケットに紙幣をねじ込まれかねないので、僕たちはほとんど逃げるように病院を出た。ちらりと振り返ると、お父さんはこちらに深々と頭を下げていた。

＊

肌を刺す初冬の夜気にぶるっと身を震わせ、真緒が信じがたい言葉を口にした。

「さーて、歩くか」

「は？　ちょっと待て。自分が三階からぶち落ちたこと、もう忘れたのか」

「ぶち落ちたんじゃなくて舞い降りたの、天使のごとく。着地だってきれいに決まったから、どこも怪我《けが》してないし」

落下する姿は天使というよりは大きなアルマジロのようだったが、怪我をしていないというのは事実だった。救急外来の担当医から「ほんとに三階から飛び降りたの？」と疑いの目で見られるほど、真緒はぴんぴんしている。

一緒に落ちたしゅう君も、脱臼《だっきゅう》した肩を元に戻されたとたんにぴたっと泣きやんだらしい。その後はコアラの赤ちゃんのように母親にしがみついて離れなくなった。

事の顚末《てんまつ》を話してくれたのはお母さんだった。なんでも、夕食の支度中に何げなく窓の外を見たところ、しゅう君がベランダの手すりに跨《また》がっていたのだそうだ。動転したお母さんが駆け寄ってきたためにしゅう君が驚き、バランスを崩してしまったらしい。

今回の件でもっとも重症だったのは当のお母さんで、息子の腕を摑《つか》んでいた両手は自力では開けないほどこわばり、頭には卒倒した際に作った瘤《こぶ》があった。様子を見るため、母子ともに一晩入院することになったようだ。

念のためと真緒も入院を勧められたのだが、「家に帰って晩ご飯を作りますので」

と、説得力のまるで感じられない理由を盾に、なぜか頑《かたく》なに拒否してしまった。

「なあ、本気で歩くの？　二十分くらいかかるぞ。すぐそこ保谷駅だから、そっちでタクシー拾おうよ」

「やだ。歩く。一日に二度もタクシー乗るのは、ブルジョアジーのすることです」

僕の手を取り、真緒はさっさと歩きだしてしまった。

「本当に怪我はないのか？　どこか痛い所はないか？　気分悪いとか、眩暈《めまい》がするとかは？」

「大丈夫だってば」真緒はクスクス笑い、持ち前の耳をくすぐるような声で囁《ささや》いた。

「そんなに心配なら、髪の毛調べたみたいに私の体をチェックする？」

「する」

「スケベ」

真緒がぎゅっと手を握ってくる。

街灯の下を通りかかると、自分の息の白さがわかる。僕は救急車に遅れて病院に駆けつけたのだが、真緒にはジャケットではなくコートを持ってきてやった方がよかったかもしれない。

「寒くない？」

「寒くない。浩介は？」

「寒くない」

「そう」

ふと、既視感を覚えた。

「こんなようなやりとり、ずいぶん前にもなかったっけ？　あ、善福寺公園だ」

「ああ、あったねえ」暗がりを歩きながら、真緒がくすぐったそうに身をよじった。

「いい雰囲気だったのに、犬に妨害されたんだよね」

朝日の中のぎこちない空気は、今もよく憶《おぼ》えている。

「そういえばあのときも、真緒はかなり長い距離歩いたよなあ。その、肉体的負担を強いられたあとだったのに」

「あははは。肉体的負担か。強いられましたねえ。それにしても、早いよね。あれからもう一年ちかく経《た》つのか。うわー、昔だあ」

「そんな、ついこの間じゃん」

「私には、だいぶ昔だよ。今やすっかりおばあちゃんだもん」

僕は鼻で笑った。

「なーに言ってんだ」

「ほんとなんだよ」

どこか思いつめたような響きに、僕の胸が大きく鼓動した。

「なあ、やっぱり無理しないでタクシー呼ぼう。今夜と明日はゆっくり寝て、月曜からはまた労働の日々だ」

携帯電話を取り出そうとすると、真緒は立ち止まって僕の手を引いた。街灯の白い光の下で、彼女は首を横に振る。

「ううん、無理する。だって明日はもう、無理できるかどうかわからないから」

「何を言ってるんだ?」

「十三年生きてきたけど、さすがにもう限界」

「なにが十三年だよ。二十六歳だろ」

「そうだったね」

漏れる笑い声には力がない。

「『そうだったね』じゃないよ。記憶があるのは十三年くらいの期間かもしれないけど、肉体的には二十六かそれくらいの歳《とし》だろ。だいたい、二十六歳のどこが限界なんだよ。そういう台詞《せりふ》はせめて平均寿命超えてから言え」

真緒は小さく首を振った。

「もう超えてるよ」

「あのな、『なんちゃってー』って言うなら今だぞ」

おどけたつもりだったが、答える真緒の声は震えていた。

「ごめんね。言えない」

「つまんない冗談だな。ぜんぜん笑えないぞ」

取り合おうとしない僕に、真緒はゆっくりと告げた。

「笑えなくてもいいから、冗談ということにしてもいいから、私の言うことを聞いて。そうじゃないとほんとに、ちゃんと言葉で伝えられないままになっちゃうから。それは嫌だから」

「行くぞ」

真剣な声にたじろいだ僕は、真緒の手を引いて再び歩きだした。

「じゃあ、冗談で言うね」歩きながら、真緒は落ち着いた声で言った。「あのね、私の寿命、そろそろおしまいなの」

漏れたため息が白く凍る。

「それ、大学病院で『健康』の太鼓判捺《お》されてきた人間の台詞じゃないな」

「だよね。だってこれ、冗談だから。でね、私はもう寿命が来てるんで、行かなくちゃいけないの。だから、何もかも消すつもりだった。私についてのこと、全部。けど、やっぱり浩介にだけは憶えていてもらいたい。ものすごくわがままだけど、私のこと忘れられるのはやだ」

僕は笑顔になろうと顔を歪《ゆが》ませた。

「行かなくちゃいけないとか全部消すとか、なんだよそりゃ。お前は天界からやってきた魔法少女か？　これってアニメの最終回ごっこなのか？」

真緒がくすりと笑った。

「私、天界からやってきた魔法少女に見える？」

「見えない。恵比寿にある下着メーカーの広報をやってるおれの奥さんにしか見えない。それ以外の見方は認めない」

「じゃあそんな発想、どこから出てきたの？」

少し考え、僕はイメージの元になった言葉を思い出した。

「前にお義母《かあ》さんが言ってたんだよ。空から降ってきたみたいに突然現れた娘だから、また突然どこかへ行っちゃうんじゃないかって」

「……………」

真緒は何も答えない。夜の住宅街に僕たちの靴音が響く。

かすかに、洟《はな》を啜《すす》る音が聞こえた。そっと覗《のぞ》くと、真緒が口元を押さえている。

「気分悪いの？」

「ちがうよ。ただ、びっくりしただけ」そう言って、もう一度洟を啜る。「親ってすごいね。ちゃんと感じ取るんだね」

「何を？」

「私の命が短いこと」

「バカ。本気で怒るぞ」

「だから、冗談ということで話してるの。本気にしちゃだめ」まるで僕に結びつけた手綱を引くように、真緒は繋《つな》いだ手を大きく振る。「今日、親に会いに行かなくて正解だった。顔見たらぜったい感情を抑えられなかったから。浩介も、自分のお父さんとお母さんのこと大切にしてね」

「自分の行動省みず、人に説教するか」

こちらも冗談で返そうとしたのだが、上手《うま》く笑顔を作れなかった。

「ね。私ってほんと、ちぐはぐだよね。浩介に会いたい一心で生きてきたつもりなのに、気づいたら学生生活を満喫してるし、かわいい下着に惚《ほ》れて『ララ・オロール』に就職するし。でも、最後の一年だけでも浩介と一緒になれてよかった。時間がなかったから強引に駆け落ちしちゃったんだけど、終わりよければすべてよし、ってね」

自嘲《じちょう》気味に話す真緒に乗じて僕も笑いたかったが、顔はこわばっていく一方だった。

「そんな話、信じちゃいないけど、真緒が死ぬなんておれは嫌だぞ」

こちらの手が痛くなるほど、真緒は強く握ってきた。

「浩介だけじゃなくて、お父さんもお母さんも大好き。高校や大学の友達も、仕事だって。成人式の前の日にね、お父さん、めずらしく自分から話しかけてくれたんだよ、『中学の頃は身の回りのこともできなくて、どうなることかと心配しどおしだったけど、真緒はよく頑張ったな。立派になったな』って」

ずっ、と洟を啜る音がする。

軽口を叩《たた》こうとした。「で、この話のオチは?」と言おうと口を開きかけた。しかし、言葉が喉《のど》に詰まる。

真緒が唇をわななかせた。

「私、ひっどい自分勝手で意地悪だよね。浩介の人生はこれからもずっと続くのに、浩介はまだ寿命の半分も生きてないのに、この先もずっと憶えててほしいなんて。ほかに好きな人ができたら浩介、私に気兼ねしてものすごく悩むよ」

「何を言ってるのかさっぱりわからないけど、おれが好きなのは真緒だけだよ」

「ありがとう。そう言ってくれるあなたを好きになってよかった」

握りあっていた手を組み替え、僕たちは十本の指をしっかりと組んだ。真緒の手のひらは温かく、こんな時でさえ深い安らぎを与えてくれる。

言葉が途絶え、二人とも黙ったまま夜の住宅街を歩く。見上げると、白い半月が僕たちのあとを静かについてきていた。

真緒の言葉をどう受け止めればいいのだろう。あまりにも荒唐無稽《こうとうむけい》で、はいそうですかと素直に頷《うなず》ける話ではない。しかし、だからこそ、笑い飛ばすこともできないのだ。僕をからかいたいだけなら、もっと工夫を加えて話に信憑性《しんぴょうせい》を持たせるだろう。それをしないのは、真緒が事実を言っているからなのだろうか。まさか。

真緒は人差し指で目の下を拭《ぬぐ》いながら尋ねた。

「私、いい奥さんだった？」

「過去形で言うな」

真緒は、かまわず同じ問いを発する。

「いい奥さんだった？」

「ああ」

頷くと、真緒が僕の腕に軽く体をぶつけてきた。

「料理はあんまり自信なかったんだけど、意外と上手かったでしょ？　浩介、ちょっと太ったもんね。だから、私が行っちゃったあとの浩介の食生活が心配なんだ」

「冗談でも本気でも、そういうことは言うな」僕は口を尖《とが》らせた。「たとえばだ。とりあえず理屈は置いといて、真緒は事情があってどこかに行かなくちゃならないんだとする。だからなんだってんだよ。真緒は真緒なんだから、そばにいればいいじゃないか。どこだか知らないけど、行きたくないなら行くなよ」

「ありがとね。あー、私、すごい幸せ者だね」初冬の風も暖めてしまいそうな朗らかな声で、真緒が言った。「私のことを浩介はこんなにも大切にしてくれる。ほんとに、一緒になってよかった。浩介は怒るかもしれないけど、私はもう満足。ほんと、自分勝手だね。でも、できれば浩介と、もうちょっといろんなことしてみたかったな」

方法はわからないけれど、真緒は本当にどこかに行ってしまうのかもしれない。

頭では否定しているにもかかわらず、僕はなぜかそのような確信めいた思いを抱いた。

「…………」

「浩介がいま何考えてるか、当ててみせようか？」

「はあ？」

真緒は軽い体当たりを繰り返す。

「やらしいことでしょ。いま『いろんなことしてみたかった』って言ったら、手がピクッてなったもん。そういう意味じゃないのに、やだなあ」

「はあ」

「私がお金をケチったのが悪いんだけど、一度くらい二人で温泉なんかに行きたかったな。あと、浩介に『ペット・サウンズ』聴かせたかった。『素敵じゃないか』が入ってるアルバム。忙しさにかまけて、ずっと先延ばしにしちゃってたね。それから、もう許さないって思うくらいの大喧嘩《げんか》だって、一回くらいならしてみたかった」洟を啜り、真緒は続ける。「あと、指輪のお返しもちゃんとしたかったたし、もっと何度もくすぐりっこしたかったたし、もっとお姫様だっこで甘えたかったたし、もっとたくさんキスして、もっとたくさん抱き合って、もっともっと、一緒にいたかった」

最後の方は声が震え、ほとんどまともな言葉になっていなかった。

「だから、一緒にいればいいじゃないか。今のリクエスト、喧嘩以外は全部応《こた》えられるから」

笑い飛ばすつもりが、僕の声も心棒を抜かれたように揺れていた。

「……ごめんね」

真緒は短く答えたきり、押し黙ってしまった。

白子川に架かる小さな橋を、押し黙って渡る。

もともと真緒は、不思議な存在ではあった。15と6の公約数もわからないことには驚かされたが、その後の学力の伸びにはもっと驚かされた。おそるべき執念深さと要領の悪さで、僕のようにとりたてて魅力のない男を追ってきた。それだけではない。貯《た》めてきた預金を意味もなく下ろし、大量に髪の毛が抜けたはずなのに頭にその痕跡《こんせき》はなく、三階から飛び降りても擦り傷ひとつない。

僕には理解できなくとも、彼女には行かなければならない別の場所があるのかもしれない。引き留めるのは、僕の力では無理なことなのかもしれない。

頭の隅に浮かんでしまったそんな考えを、あわてて打ち消す。

真緒が、唇の隙間《すきま》から声を押し出した。

「……なんちゃってー」

少しの間、僕は耳に入ってきた言葉の意味を理解できずにいた。

「なんちゃってー、って？」

「なにそんな思い詰めた顔してんの。私は浩介のそばにいるよ」真緒は繋いだ手をぶんぶんと振った。「まったく、冗談だって断ってるのに簡単に騙《だま》されちゃって。単純なんだから」

「えっ、何？　どっかに行っちゃうんじゃないの？　永遠の別れじゃないの？」

「行ってもすぐ帰ってきちゃうタイプだもん、私。さっきの病院だってそうだったでしょ？」

じゃれつくような体当たりをしながら、真緒はそう答えた。

師走《しわす》の夜にもかかわらず、尋常ではない勢いで背中に汗が滲《にじ》みだす。

「お前、人が悪すぎるぞ。どんなに荒唐無稽な話でも、涙声で語られたら誰だってちょっとは本気にしちゃうだろ」

「すんませんすんません。途中からネタばらししにくい空気になっちゃって。でも、浩介を好きになってよかったっていうのは本音だよ」

耳をくすぐるような甘い声を聞くうちに、力の抜けた膝《ひざ》が震えだした。

「なんだよもう、勢いで覚悟固めかけてたよ。冗談だったのかよ」

「ほんとごめん。なんかね、三階からダイブしてあの世を垣間見《かいまみ》たせいか、無性に夫の愛情を確かめたくなっちゃって」歩きながら、真緒はこちらにしなだれかかる。

「だからさっき、『おれが好きなのは真緒だけ』って言われたときは背筋がゾクゾクしちゃった」

この脳天気ぶり。やはり、真緒は真緒だ。いや、あえて脳天気さを装《よそお》っているのだろうか。そんな風にも聞こえてしまう。

「こっちはいまだに、膝がガクガクしてるんですけど」

「ごめんね、雰囲気に便乗して『あれもしたかった、これもしたかった』っていろいろリクエストまでして。言いながら自分でも感極まっちゃったよ」

「あのな、真緒が自分の言葉にうっとり浸ってた間、それを聞かされて半泣きになってたおれの気持ちにはどう落とし前つけてくれる」

「まことにすまんことです。つきましては、お詫《わ》びと申しますか、むしろおねだりと申しますか」そっぽを向きながら、真緒が僕の腕に胸を押しつけてきた。「まあ、検査結果も良好だったことですし、今夜あたり久しぶりに羽目を外してみるのもいいんじゃないかなあ。こう言うのは不謹慎だけど、おとなりさんが留守だから声我慢する必要もないし」

「でもお前、病院帰りだぞ。しかも内科と外科の一日二軒」

「二軒ともド健康のお墨付きくれたよ。それにね、夫の男っぽいとこ見ていま、過去に例がないほどムラムラしてるんですよ、わたくし」

真緒はなおも体を密着させてくる。お世辞にも立派とはいえないサイズではあるが、柔らかい膨らみを押しつけられると、やはりときめいてしまう。

「わかった、そこまで言うなら受けて立とう。ついでにさっきのリクエストだけど、実現可能なものは今夜から実行するぞ。お姫様だっこでベッドに放り投げて、息ができなくなるほどくすぐりまくって、それから心ゆくまでアレしてアレするからな」

「私、今度こそ生きて朝を迎えられる自信がなくなってきた」

真緒のこわばった笑みにはかまわず、僕は続けた。

「そうだ、風呂《ふろ》に入浴剤入れよう。本番は後日にとっとくとして、当座の温泉代わりだ」

「いいね。二人で洗いっこしちゃおうか。明日は日曜だし、バカ夫婦全開で夜更《よふ》かししようね」

「夜更かし？　甘い。夜明かしするまで寝かさないぞ」

「うわ、すごい鼻息」

真緒は肩を揺らして笑う。もう大丈夫だ。そう信じたい。

道の先に、僕たちの部屋が見えてきた。

＊

朝日に曝《さら》されてトマトのように鮮やかな赤に染まっていたカーテンが、まどろみから醒《さ》めるとふんわりとしたベージュ色に戻っていた。わずかな隙間《すきま》から射《さ》し込む眩《まばゆ》い光線とシジュウカラの甲高い声が、一日がとうに始まっていることを伝えている。

頭を持ち上げ、ベッドサイドの目覚まし時計を見る。午前十一時。もう昼近い時刻ではあるが、眠りに就いたのが七時頃だったので眠くて仕方がない。

もうひと眠りしようと目を閉じかけたところで、ドア一枚むこうのダイニングキッチンから陽気なハミングが聴こえてきた。久しぶりに聴く、真緒の「素敵じゃないか」だった。

きしむ背中や腰をさすりながらドアを開けると、溶けたバターのいい香りがした。「おはよー」ちょうど、真緒がフライパンに溶き卵を流し入れたところだった。「朝ご飯、食べる？　そしたらオムレツもう一個作るけど」

「おはよう。じゃあ、お願い」

トイレと洗顔を済ませ、テーブルに着く。寝不足でぼんやりする頭に、真緒の鼻唄《はなうた》が流れ込んでくる。

くたびれたロングパーカーに裾《すそ》が擦り切れたジーンズという気楽な格好で、真緒はじつに心地よさそうに「素敵じゃないか」をハミングし、フライ返しを振るった。

「ふんふふーんふ・ふんふふんふふんふふんふ・ふふんふーうーん・らんらんうぃゅーうー」

コーラス付きだ。今朝はとりわけ機嫌がいいらしい。

「できたよー」

真緒の呼びかけで席を立ち、皿やカップをテーブルに運ぶ。オムレツ、ベーコン、トースト、サラダ、オレンジジュース、コーヒー、ヨーグルトと、拡《ひろ》げたエクステンションテーブルいっぱいに料理が並ぶ様は、旅慣れていない人の朝食ビュッフェの光景を思わせた。

「すげえ量……」

「いただきまーす」

僕の呟《つぶや》きを無視して両手を合わせ、真緒は二つに切ったトーストにかぶりついた。

それから二十分後。僕は真緒が残したオムレツとトーストを必死の思いで腹に詰め込んだ。日頃トーストとコーヒーだけで済ませている身に、このたっぷりすぎる朝食は厳しい。

「オムレツは、二人で一個でもよかったな」

「私も学習しないねえ」

背中を丸め、さも愉快なことのように顔をくしゃくしゃにして真緒は笑った。つられて僕も笑う。

「さーて、片付けるか」

僕が空の食器を手に立ち上がると、真緒も席を立った。

「じゃあ私、朝刊取ってくるね」

「ああ」

玄関でサンダルを履きかけた真緒はくるりと振り返り、スリッパを鳴らしてこちらに駆け寄ってきた。

「おはようのキス、忘れてた」

耳をくすぐるような、いつもの声。

頷いた僕の両肩に手を掛けて背伸びし、真緒は短い口づけをした。

「じゃあ、ね」

真緒は小刻みに手を振ると、軽やかな足取りで玄関から出ていった。

そしてそのまま、帰ってくることはなかった。

6

朝刊を取りに行くと言い残したまま、真緒は消えてしまった。

気まぐれな彼女のことだから、用事も忘れて誰かと立ち話でもしているのだろうと思っていた。が、一時間経《た》っても戻ってこない。心配になって一階まで下りていったが、集合ポストには朝刊が入ったままで、あたりに真緒の姿はなかった。エントランスの前の通りにも、建物の南側の駐車場にもいない。

ちょうど、平岩一家が病院から戻ってきたところだった。挨拶《あいさつ》もそこそこに「真緒を見ませんでしたか」と奥さんに尋ねると、相手は明らかに怪訝《けげん》な顔をした。

「いえ、ちょっとわかりませんねえ」

相手の妙な腰の引けように、僕はかえって焦《あせ》りを募らせた。

「朝刊取りに行くって言ったまま、真緒が帰ってこないんです。部屋着のままだったし財布は部屋に残っているから、そんなに遠くに行ってはいないと思うんですけど。何か、本人から聞いていませんか？」

泣きつくように状況を説明する姿が怖かったのだろう、しゅう君が怯《おび》えて母親の後ろに隠れた。

「しゅう君、風邪ひきさんのお姉ちゃん、知らない？」

おずおずと首を横に振るしゅう君の代わりに、父親が声を発した。

「奥田さん、いいかげんにしてくれませんか。真緒って彼女か誰かのこと？　うちが知ってるはずないでしょう」

僕の前に立ちふさがってそう告げると、彼は妻と息子を守るようにしてエレベーターへと急いだ。その後ろ姿を呆然《ぼうぜん》と見送った僕は、前夜の真緒の「冗談」を思い出した。

〈私はもう寿命が来てるんで、行かなくちゃいけないの。だから、何もかも消すつもりだった。私についてのこと、全部〉

すぐさま部屋にとって返したが、そこにはなんの変化も見られなかった。和室の本棚に並んだファッション雑誌も料理の本も、クローゼットの服も、ダブルベッドのピンクのシーツも、すべてそのままだった。

やはりあれは冗談だったのだ、記憶や物を消すなんてできるはずがない。平岩さんたちはきのうのショックが抜けていなくて、少しおかしくなっているだけだ。

僕は電話を手に取り、真緒の実家に掛けた。出たのはお義母《かあ》さんだった。

「あ、お義母さん。浩介です」

『……どちら様ですか？』

固く、よそよそしい声が返ってきた。

「ですから、浩介です」

『どちらのコウスケさん？　あの、うちには息子も娘もいませんよ』受話器のむこうで、お義母さんは声を尖《とが》らせた。『あなた、振り込め詐欺《さぎ》じゃないの？　うちはあれですからね。主人が警察官ですから。そんな手口は通用しませんよ』

「いえ、そうじゃなくて――」

通話は一方的に切られた。

〈うちには息子も娘もいませんよ〉

冷たい声が、耳の奥にこびりついて離れなくなった。

日が西に傾いても、真緒は帰ってこなかった。携帯電話を持っていったようなので、僕は彼女の端末に何度も掛けた。が、聞こえてくるのは本人の声ではなく、録音されたメッセージだった。

『お客様がお掛けになった番号は、現在使われておりません。もう一度お確かめの上――』

ばかな、ばかな、と呟きながら、僕は２ＤＫの室内をうろつき回った。

警察に捜索願を提出したのは、夜になってからのことだった。


一睡もできないまま、月曜日がやってきた。

部屋に残って真緒を待つことも考えた。しかし、片付けなければならない仕事もあったので、僕は仕方なく出勤することにした。

朝礼が終わるのももどかしく、「ララ・オロール」へ電話を掛けた。梶尾部長に取り次いでもらい、型どおりの挨拶を済ませたあとで本題を切り出す。

「ところで今、渡来さんはそちらにいらっしゃいますか？」

『はい？　ええと、渡利、ですか？』

声に戸惑いが滲《にじ》んでいた。

「いえ、渡来さん、ですけど。旧姓の」

『広報部の人間ですよねえ』嫌な間《ま》が続いた。『いえ、こちらにはそういう者は……』

返答が予想どおりだったことに、僕はかえって打ちのめされた。高校時代からの愛着が高じて志望した会社からも、真緒は迷いなく痕跡《こんせき》を消してしまったらしい。

何事もなかったような顔をして仕事に戻ったが、僕の不安と焦燥感は時間を追うごとに高まっていった。もしやと思って仕事の合間に繰り返し部屋に電話を掛けたが、真緒が出ることはなかった。パーカーとジーンズだけでは凍えてしまうのではないかと心配になり、窓の外の雲を何度も見上げた。睡眠不足で体がふらついたが、サボってひと眠りしようという気も起きなかった。

午後、僕は無理やりに笑顔を作って上司の席に近づいた。

「田中さん、今ちょっといいですか?」

「ん?」

田中さんが背中をのけぞらせると、椅子《いす》の背もたれが軋《きし》んだ。

「『ララ・オロール』のことなんですけど」

「ああ。なに? いまさら担当戻りたいとか言わないよな?」

「いえ、そういうことじゃないんですけど、あそこの会社に渡来さんっていましたよね?」

「渡来? いや、聞いたことないけど」

やはり、梶尾部長や平岩さんと同じような答えが返ってきた。心臓の鼓動が一気に高まる。

戻りたいのかと尋ねられたということは、僕はやはり「ララ・オロール」の担当だったのだ。担当を外れた理由は真緒との結婚だったはずだが、そのいきさつはどうなったのだろうか。

「僕ってどうして、あそこの担当外れたんでしたっけ?」

何気ない風を装《よそお》って尋ねると、田中さんがせわしなく瞬《まばた》きした。

「奥田ってもしかして、週末にナイショのおクスリとかやってる人?」

「いえ」

意味がわからずに首を傾《かし》げる僕を見上げ、相手は大きくため息をついた。

「『ララ・オロール』に入れ込みすぎたお前と媒体部の喧嘩《けんか》が収拾つかなくなったから、部長判断で外されたんだろうが。忘れちゃった?　お前、ある意味大物だな」

田中さんに小突かれ、僕は「いや、もちろん憶《おぼ》えてます」と嘘《うそ》を言って笑ってみせた。

これではっきりした。誰もが、真緒のことを忘れてしまったのだ。いや、そうではない。奥田真緒という人間は、初めからこの世にいないことになっていた。彼女の上司も、取引先も、隣人も、そして養父母までもが、あらかじめ真緒のいなかった世界の住人になってしまっていた。

愛想笑いを浮かべる目から、ふいに涙が溢《あふ》れてきた。

「ちょっとすいません」

声の震えを堪《こら》えて断りを入れ、あわてて廊下に出た。俯《うつむ》いてトイレまで走り、個室に飛び込むと、僕は嗚咽《おえつ》が漏れぬようにハンカチを口に押し当てた。

仕事中だ。泣いている場合じゃない。

そう自分に言い聞かせたが、涙はなかなか止まってくれなかった。結局その日は、ほとんど仕事にならなかった。

部屋に戻れば少しは気もまぎれるのではないかと思ったが、それは逆だった。

2DKの室内には、真緒が使っていた物が溢れていた。パンプスやブーツ。コーヒーカップ。箸《はし》。小ぶりな茶碗《ちゃわん》。浴室のメイク落とし。クローゼットの中には真緒のお気に入りの「ララ・オロール」のブラジャーやショーツが丁寧に畳んで収められている。

きのうまで当たり前のように使われていた道具の持ち主が、今は部屋にいない。受け入れがたい事実を前に、僕はあやうく叫びだしそうになった。

ベッドに倒れこみ、真緒の枕《まくら》に顔をうずめる。シャンプーやトリートメントの人工的な香りの奥に、彼女の体臭が感じられた。雨上がりの空気のように静かに胸を高鳴らせる残り香を嗅《か》いでいると、狂おしいほどの寂しさが湧《わ》き起こってきた。

真緒の所へ行きたい。

そう思った。真緒がいないのなら、働くことや物を買うこと、食べること、眠ること、怒ったり笑ったりすることにも意味はない。

ベッドから離れ、彼女の行方についての手がかりを見つけようと部屋の中を歩き回った。目に留まったのは、和室に置かれたノートパソコンだった。

何かメッセージは残されていないかと、僕はパソコンを起動させた。文書ファイルをいくつか開いてみたが、僕への私信や日記のようなものはひとつも見つからない。また、メールソフトの送受信歴に山井さんや金沢さんとのやりとりも残されていなかった。連絡は携帯電話で行っていたのか、あるいは真緒が消してしまったのかもしれない。

あきらめかけたとき、「仕事」と表記されたフォルダが目に留まった。会議用の資料やプレスリリースの下書きなどといったファイルがずらりと並ぶ中に、「家計簿」という表計算ファイルがまぎれ込んでいる。僕は即座にアイコンをクリックした。

月ごとに作成されたシートには、家賃に始まってスーパーでの買い物の金額、光熱費、通信料金、果ては腕時計の電池交換料金まで、詳細な数字が入力されていた。
真緒が家計簿をつけていたことを、僕はまったく知らなかった。こちらは毎月の給料から一定額を渡していただけだが、彼女の方は几帳面《きちょうめん》に収入と支出の記録をつけ、管理していたのだ。そんなことも知らずに「もう少し財布の紐《ひも》をゆるめてくれても」などと思っていた自分のいい加減さに腹が立つ。
各月の末尾には備考欄があって、そこには真緒なりの反省や感想が書かれていた。
〈11月　浩介から結婚指輪をもらった。すごく高そうでもったいない。でも、もう、うれしくてうれしくて。生きててよかった。浩介ありがとう。愛してる〉
〈9月　三連休を利用して久しぶりの里帰り。毎度のことだけど、運賃がいちばん安いけど遠回りになる東西線回りを主張する私と、高いけど短時間で着く京成線回りがいいと言う浩介との間で意見が分かれる。最終的に、それなりに早くてそれなりに安い総武線回りのルートになった。これも毎度のこと〉
〈7月　モモのために720ミリ入りの日本酒を3本も買う。いいところを見せたくて見栄《みえ》を張りすぎた。お土産のケーキがおいしかった。1時間後にゲロに変身してし

まったけど〉

悲しくてたまらないのに、さかのぼって読んでいくうちに口元がゆるんでしまった。だが、六月と五月の欄を目にしたとき、僕のふやけた笑みは消えた。

〈6月　想定してたのよりずっと早く、現金を隠してたことがバレてしまった。すごく怒られた。とりあえず今回は、お金は銀行に戻そう。でも、いよいよとなったらどうしようか〉

〈5月　オペラの帰りに買い物。ちゃんと握ってたはずなのに、レジ袋を落として卵を割る。ショックだ。やっぱり私は、もう長くないのかもしれない〉

僕は寝室にとって返した。ドレッサーの前に膝《ひざ》をつき、真っ先に最下段の抽斗《ひきだし》を開ける。アクセサリーケースを取り除くと、その下にはやはり、現金の収められた封筒があった。僕が預金通帳の確認をしなくなってから、また下ろしたのだろう。手に取ると、紙幣のほかに一枚の便箋《びんせん》が収められているのがわかった。

〈私と一緒に口座も消えるはずだから、ここに移しておきます。生活費とか、家賃の足しにしてね　まお〉

「なんでおれを連れて行かなかったんだよ、真緒」

喉《のど》の奥から絞り出すように、僕は妻の名を呼んだ。手の中の紙幣の束が、重く冷たかった。

＊

大学時代から数えて六年間——七十二ヵ月も、僕は一人暮らしをしてきた。照明の灯っていない部屋に帰ることも、一人で夕食を摂《と》ることも、一人で寝ることも、長年経験してきたことだ。それに比べれば真緒と暮らした日々はごく短く、たったの十ヵ月にすぎない。だから、一人ではなかった期間の方がむしろ例外であり、生活が元に戻ったにすぎないのだ。

甘く楽しい夢を見た。真緒との生活をそう割り切ってしまえば、きっと楽になれる。なのに、寂しい。どうしようもなく寂しい。

真緒がいなくなって十日が過ぎたが、喪失感は褪《あ》せるどころか強まるばかりだ。

捜索願を出した警察からは、依然なんの連絡もない。当然だろう。真緒は初めからいなかったことになっているのだから。

今でも、ふいに涙が溢れて止まらなくなることがある。こうして横断歩道の前で信号待ちをしているときなどは、とくにそういう状態に陥りやすい。無意識のうちに手が温《ぬく》もりを求めるらしく、触れれば握り返してくる手がすでにないことを思い出すたびに、悲しみに打ちひしがれてしまうのだ。

スーツを着たいい大人が、路上で突然ハンカチを取り出して目頭を押さえるのだから、居合わせた人に好奇の目で見られるのも不思議ではない。僕もかつては、このような突拍子もないことをする人を見かけては「気の毒に」などと、心の中で思い上がった呟《つぶや》きを漏らしていたのだ。考えてみればそういう人の中にも、今の僕と同じように大切な存在を失った人だっていたのかもしれない。

僕は通勤経路を変えた。それまでは西武池袋線の練馬駅で大江戸線に乗り換え、都庁前駅で降りていたのだが、今は終点の池袋駅から山手線を経由して新宿駅で下車している。会社へは遠回りになったが、元に戻すつもりはない。真緒を捜すためだ。真緒はこのルートを使って毎日恵比寿まで通勤していたのだ。池袋駅のコンコースで、山手線の車内で、僕は真緒を探した。もちろん、いないことはわかっている。それでも捜さずにはいられなかった。

こんな具合なのだから、仕事など手につくはずもない。本来なら年末進行で息つく暇もないはずなのだが、僕は騒々しい社内の空気から完全に取り残されていた。

真緒が姿を消してからの数日こそ上司の田中さんにどやされっぱなしだったが、きのうになってついに部長直々に「きつい日は無理しないで休め」と諭されてしまった。周囲からの評価が急激に下がっていることは自覚できているのだが、自力ではどうにもならない。妻を失っても簡単に気持ちを切り替えて仕事に打ち込めるほどには、僕は便利にできてはいない。それでも会社を休まないのは、マンションにいると真緒のことばかり考えてしまうからだ。

部屋には真緒の生活のあとが、あの日のままに残されている。ドレッサーの化粧品、洗面所の歯ブラシ、ベランダに咲いたプリムラ。部屋で生活しているとどうしてもそれらが目に留まってしまい、そのたびに僕は嗚咽を漏らした。

何より苦痛なのが、ベッドに入ることだった。六畳間の大半を占めるダブルベッドは、一人で寝るにはあまりに広すぎる。

エアコンの設定温度で揉《も》めたり、寝返りを打つ真緒の腕に鼻面《はなづら》をしたたか叩《たた》かれたりと、不便な思いをさせられることも多かった寝室だが、今となってはその悩みがなくなってしまったことが寂しくてたまらない。

真緒の何もかもが恋しい。おだやかなようでいて常に何かを企《たくら》んでいるような眼差《まなざ》し。耳をくすぐるような甘い声。仰向けになると膨らみがほとんどなくなってしまう乳房。背中をこすりつけて甘える癖。気まぐれぶりも融通の利《き》かなさも、すべてが恋しい。

これからも孤独に耐えるのかと想像するとやりきれない思いに駆られ、真緒にゆかりのある物すべてを処分してしまおうかと考えたこともあった。しかし結局、それはできなかった。

マンションの掲示板で知ったのだが、しゅう君がベランダから転落した一件は、間一髪で駆けつけたレスキュー隊によって解決されたという筋書きに変わってしまっていた。どんな手を使ったのかはわからないが、真緒は何らかの不思議な力でそれをやり遂げてしまった。

今はまだ、その仕組みを理解しようという気にはなれない。それよりも大事なことが、僕には課されているからだ。

誰もが彼もが真緒を忘れてしまった以上、僕だけでも真緒のことを憶えていなければならない。だから、真緒がこの世に生きていた証《あか》しを手放してしまうことはできない。

もしも僕が真緒のことを忘れてしまったら、真緒は本当にこの世にいなかったことになってしまう。それは、喪失感に苛《さいな》まれるよりもなお悲しいことだった。

真緒がどこへ行ってしまったのかはわからない。周囲の人々の記憶も記録も消してしまえる真緒のことだから、行き先はきっと、僕には覗《のぞ》き見ることも叶《かな》わないような場所なのだろう。

だから当然、勤務先なんかを当たったところでいるはずもない。

それなのに、僕の足は「ララ・オロール」に向かっている。別の取引先との打ち合わせが予想外に早く済んでしまって時間が浮いたからという、理由にもならない理由で。

いまにも雪が降りだしそうな寒空の下、横断歩道の先の広場には大きなもみの木が飾られ、敷地全体がクリスマス・イルミネーションでにぎやかに飾りたてられている。そのためか、行き交う人々の表情もどことなく楽しげに見える。

それが僕には不愉快だった。真緒がいなくても世の中が問題なく成り立っていることに、やるせなさとともに怒りにも似た感情が湧き立ってくる。

夕闇《ゆうやみ》が迫るにつれてますます華やかさを増す広場から逃げるように、僕はビルの中に入った。そのまま憮然《ぶぜん》とした顔でエレベーターに乗る。降りた先、「ララ・オロール」の受付にも人の背丈ほどのツリーが置いてあった。

　真緒と入籍してからは「ララ・オロール」の担当を外れていたので、ここに来るのはおよそ十ヵ月ぶりだ。受付の女性とは面識があるのだが、なにせ久しぶりなので忘れられている可能性は高い。僕はカウンターに歩み寄り、名刺を差し出した。とても笑える気分ではないのに、条件反射のように笑顔が形作られてしまう。

「お世話になります。日本レイルアド社の――」

「あ、奥田様ですね、ご無沙汰《ぶさた》しております」

　どうやら、憶《おぼ》えてくれていたようだ。

「あ、こちらこそご無沙汰しております。ええと、広報部の渡来真緒さんにお取次ぎをお願いしたいのですが」

「……渡来、でしょうか。少々お待ちください」

　笑顔の下に戸惑いがわずかに覗いた。僕はその変化に気づかぬふりをし、勧められたソファに腰掛けた。女性が内線番号を押し、受話器の口元をそっと隠す。

　いつもなら呼び出しの電話はすぐに終わるのだが、今日は時間がかかっている。オフホワイトを基調としたシンプルなロビーには、クリスマス・ソングが控えめな音量で流れており、そのため内線の通話の内容は聞こえない。

僕の目は自然と、受付の奥にあるスモークガラスの自動ドアに向けられた。真緒がいた頃は、こうして受付を済ませるとやがてドアの向こうから本人が出てきて、「お待たせしました」などと他人行儀に会釈《えしゃく》したものだ。

通話を終えて受話器を置いた女性は、気遣わしげに僕に声をかけた。「奥田様」浮かない表情を見れば、そのあとに続く言葉は容易に想像できた。「申し訳ございませんが、渡来という者はこちらにはおりませんが……」

驚きも落胆もしなかった。「ああやっぱり」と思っただけだ。それなのに、両目から涙が零《こぼ》れて止まらなくなった。

「あ、すいません。アレルギーでして。では、また日を改めて伺います」

声の震えを抑えながらおかしな言い訳をし、僕はカウンターに背を向けた。

「あの、もしよろしければ梶尾を呼びますが」

「いえ、年末のご挨拶《あいさつ》にちょっと伺っただけですので。すみません、梶尾部長によろしくお伝えください」

失礼なのはわかっていたが、僕は引き留める声を振り切って廊下を急ぎ、エレベーターに逃げ込んだ。

いったい何を期待していたのだろう。受付で呼び出してもらえば真緒が出てくるとでも思ったのだろうか。いつもの生活が戻ってくるかもしれないなどと、甘い空想をしていたのだろうか。

嗚咽《おえつ》が漏れぬよう歯を食いしばりながら外に出る。手がかじかむほどの寒さにもかかわらず、僕は汗を拭《ふ》くふりをしてハンカチを顔に押し当てた。クリスマスのイルミネーションが滲《にじ》む。

ばかばかしい。本当に、何をしに来たのだろう。自分の会社ばかりか取引先にまで迷惑をかけてめそめそしているのだから、まったくどうしようもない。

もう、受け入れなければならない。

真緒はどこにもいないのだ。

なんとか気持ちを落ち着かせて西新宿の会社に戻った僕は、いくつかの報告とメールチェックを済ませると六時には早々と退社した。明日とあさっては忘年会の予定が入っているので、できれば今夜のうちに片付けておきたい雑務が残ってはいた。だが、この調子では仕事など手につきそうにもない。

朝から一度も顔を出さなかった太陽だが、厚い雲越しにもそれなりに地表を暖めていたのだろう。日が暮れてからの空気はさらに冷たさを増し、高層ビルの間を吹き抜ける風は容赦なく体温を奪おうとする。僕は追われるように地下に下りた。

鈍色《にびいろ》の柱が並ぶ、長く殺風景な地下道を黙々と歩く。吹き抜けになった地下広場に出ると、人の数が一気に増えた。そのほとんどが僕のような会社勤めの人間だ。この人たち一人ひとりに家庭があるのだという当たり前のことが、今の僕には奇跡のように思える。

家路を急ぐ人の列は、西口改札前の雑踏に合流して霧散した。人の流れに法則性がなくなり、途切れることのない話し声と放送と靴音が神経を苛立《いらだ》たせる。

これからしばらく、少なくとも大泉学園駅の改札を出るまでは、いっさいの思考と感情を遮断しなければならない。さもないと、満員電車の中でハンカチを取り出すことになる。

スーツのポケットから定期入れを出したところで、横合いから声をかけられた。

「すみません」

耳に入ってきた声には聞き覚えがあった。

初老の男性。声音はおだやかなのに、なぜかこちらの身が引き締まる。

声の主を見て、僕は口の中で「あ」と驚きの声をあげてしまった。

真緒のお父さんだ。そのそばには彼女のお母さんもいる。二人とも、同窓会にでも出掛けるようなかしこまった装《よそお》いをしていた。

反射的に頭を下げようとして、ふと疑問が浮かんだ。以前は一方的に電話を切られてしまったが、二人は真緒の駆け落ちの相手だった僕のことを憶えているのだろうか。もしそうだったら娘のことも、記憶しているのだろうか。

やや緊張した面持ちでお義父《とう》さんが切り出した。

「すみません。京王線の初台まで行きたいんですが、どちらから乗ればいいんでしょう」

義理の息子に話しかける口調ではなかった。あくまでも通りすがりの他人に対する言葉遣いだ。

「初台ですか。ええと……」

動揺を押し隠し、僕は天井から吊《つ》り下げられた案内板を見上げた。

初台はたしかに京王線の駅だが、都営新宿線に乗り入れる京王新線の電車しか停まらない。そして京王線と京王新線の改札は別の場所にあるのだ。もっとも、京王線のホームから新線の構内までは連絡通路があるので、どちらの改札を通ってもかまわないのだが、すでに還暦を迎えた二人にそう説明したところでわかってはもらえないかもしれない。

「ちょっと構造が複雑なんで、改札まで案内しましょうか」

僕がそう申し出ると、心細げだった二人は目に見えて安堵《あんど》した。お義母《かあ》さんがほがらかな笑顔を見せる。

「ありがとうございます。助かります。駅員さんに聞いてもどうにもわかりにくくて」

「あ、いえ、たいした手間ではないですから。じゃあ、こっちです」

人でごった返す地下街を、僕は二人の歩調に合わせて進んだ。

歩きながら、お義父さんがお義母さんに尋ねた。

「おい、いま何時だ」

「六時十五分。間に合うかしら」

「だからもっと早く出ようと言ったんだ」

「仕方ないでしょう。やっぱり、御茶ノ水で快速に乗り換えるのが正解だったのよ」

「あの、お急ぎなんですか？」

僕の問いに、お義父さんが照れ笑いを浮かべて答えた。

「ええ、できれば七時までに初台に着きたいんですが、間に合いますか？」

「あ、それなら大丈夫です。ひと駅ですから、乗ってしまえば二、三分で着きます」

「そうですか。それはよかった」

飲食店やアパレルショップが立ち並ぶ京王モールを進みながら、僕はどちらにともなく尋ねてみた。

「初台というと——」

「はい、オペラを」お義母さんがまるで少女のように目を輝かせた。「新国立劇場という所に観《み》に行くんです。『ドン・ジョヴァンニ』、よね？　モーツァルトの」

「ああ」お義父さんは短く答え、言い訳するように僕に言った。「オペラなんて柄じゃないんですが、なぜだか一度くらい観てもいいんじゃないかという気になりまして」

僕は息を吸い込み、勝手にあふれ出ようとする涙を堪《こら》えた。

「けっこう面白いですよ。僕は別の演目を一度観ただけですけど」

「ご覧になったことがあるんですか？」

「ええ。前に、妻と」

お義母さんが驚いた顔で僕を見る。

「まあ、奥さんがいらっしゃるの？」

「はい。結婚するときは相手の両親から大反対されました」

「それは見る目のない人たちだ」

反対した張本人である義父の言葉に、僕はつい笑ってしまった。

京王新線の改札が見えてきたところで、お義母さんがふと漏らした。

「まおのご飯、足りるかしら？　あの子、一人でお留守番するのは初めてだから心配だわ」

「大丈夫だろう。まおはあれで案外しっかりしているから」

「えっ？　真緒って……」

おもわず聞き返すと、お義母さんが笑って答えた。

「最近、猫を飼いはじめたんです。うちは主人と二人暮らしなんですけど、いい歳《とし》してなんだか無性に子供が欲しいという話になって。それでこの間、ご近所から仔猫《こねこ》を譲ってもらって」

「名前が、真緒なんですか？」

お義父さんが頷《うなず》く。

「あまり猫らしくない名前でしょう。でも、どういうわけか名前はそれ以外にない気がしたんですよ。飼ってみたらこれがもう、娘のようにかわいくてね。猫を飼うのは初めてなのに、昔からずっとそばにいたように馴染《なじ》んでしまって。ほら、親馬鹿《おやばか》でしょう」

そう言ってお義父さんはラミネートされた写真を財布から取り出した。そこには、人の指にじゃれつく幼い茶トラが一匹写っていた。

真緒、たしかに親ってすごいよな。

僕は心の中で真緒に語りかけた。

彼女はきっと、何もかも消して行ったつもりだったのだろう。しかし、両親の中にはおぼろげながら真緒の存在が残っている。きっとこれは真緒の不手際《ふてぎわ》ではない。血こそ繋《つな》がっていなかったかもしれないが、真緒はたしかにこの夫婦の娘だったのだ。会社の同僚や近所の住人の記憶を消去してしまう不思議な力も、親の愛には歯が立たなかったのだ。

「どうもありがとうございました。本当に助かりました」

券売機で初台までの切符を買った二人が、深々と頭を下げる。

「いえ、ほんとにたいした手間ではないですから」そのまま立ち去ろうかとも思ったが、少し付け加えることにした。「帰りのことですけど、初台から本八幡まで都営線への直通電車で行けますから、新宿での乗換えが不安でしたらそっちを使った方がいいかもしれません。ほぼ確実に座れますし、それなりに早くてそれなりに安いルートですよ。本八幡からは総武線に乗って、船橋での野田線の乗り換えは、わかりますよね?」

「はい。何から何までご親切にすみません」

礼を述べたあとで、かつての義理の両親は揃《そろ》って腑《ふ》に落ちない顔をした。

「じゃあ、僕はこのへんで」

吹き出しそうになるのを堪え、通りすがりの他人であるはずの僕はJRの改札へと向かった。

僕は寝ているはずだ。たまたま空いたシートに腰を下ろしたとたんに疲れが押し寄せ、山手線が出発してすぐに寝入ってしまったはずだ。

ということは、これは夢か。

今よりたっぷり十歳は若い母が、眉根《まゆね》に皺《しわ》を寄せて僕を見つめている。

〈浩介、いいから元の場所に戻してきなさい〉

嫌だ。おれが育てる。

来春に大学を卒業するはずの弟が、なぜか小学生に戻っている。やはりこれは、夢のようだ。

〈兄ちゃん泣いてやんの。中学生のくせに変なの〉

うるさい！

僕が拳《こぶし》を振り上げると、弟は咄嗟《とっさ》に母の後ろに隠れた。

〈昨夜《ゆうべ》も晩ご飯のあとすぐ部屋に籠《こも》っちゃって、おかしいと思ったらこういうことだったのね〉母が大きなため息を漏らした。〈早く着替えなさい。学校遅れるわよ〉

嫌だ。今日は休む。

もう一度、母は大げさなため息をついた。

〈仕方ないわね。あんたが帰ってくるまでお母さんが面倒見るから、学校行ってきなさい〉

しばらく考えてから、僕は頷いた。

電車が減速しはじめた。となりの席の人に寄りかかりそうになるのを、かろうじて堪える。乗り換えの案内をするアナウンスが聞こえてきた。池袋だ。起きなければ。

確かめておきたいことがあった。

池袋で山手線を降りた僕は、西武池袋線の改札には向かわずに東口から外に出た。駅に沿って延びる百貨店前の通りを、冷たい風が吹き抜ける。僕はコートのボタンを留め、震えながら横断歩道を渡った。

大型書店の入り口でフロアガイドを確かめ、実用書の階に当たりをつけてエスカレーターを昇る。

僕の脳裏に、真緒の姿が次々と浮かんでは消えた。

こらえ性のなさと飽きっぽさ。給食を食べ残す癖。「学年有数のバカ」と謳《うた》われた知能の低さ。ジャングルジムの上に難なく立てるバランス感覚。

静かで暖かい店内を半ば走るように急ぎ、僕は動物関係のコーナーで「ネコ」の書架を見つけた。

膨大なライブラリーの中から手当たり次第に本を抜き取り、中身を確かめる。数々の愛らしい写真やイラストとともに語られているのは、真緒によく似た、いや、真緒そのものの姿だった。

たいして熱くもないカフェラテを念入りに冷ます用心深さ。デートの行き先を勝手に変えてしまう気まぐれぶり。背中をこすりつける甘えよう。大量に抜けた「夏毛」。三階から飛び降りても怪我《けが》ひとつしない身のこなし。そして、十三年という短すぎる寿命と、死期を悟ると身を隠す習性。

そうか。真緒は性的虐待《ぎゃくたい》を受けたわけでも、魔法少女なんかでもなく、そういうことだったのか。

コートが煩《わずら》わしくなるほど暖房の効いた店内で、僕は一人鳥肌を立てていた。

鎌ヶ谷のレストランで「話しておきたい秘密があるんなら、今だぞ」と迫ったときのことを思い出した。あのとき、真緒は含みのある笑みを見せて目を逸《そ》らしたものだ。真緒のやつ、こんなに大きな秘密を隠していたのか。なにが、「んー、ないよ?」だ。

コートの袖《そで》を顔に押し当て、僕は笑顔と涙を隠した。

姿を消す前の真緒本人にこんな正体を打ち明けられたとしても、僕はまともには取り合わなかっただろう。しかし、現実に真緒が姿を消し、生前の記録どころかゆかりのある人々の記憶までも消してしまうという芸当をやってのけられたあとでは、たとえ理解はできなくても受け入れざるを得ない。

そういえば、猫は人間に化けるという話を聞いたことがある。

僕は人文関係の本にも手を伸ばし、時間の経《た》つのも忘れて猫にまつわる文献を漁《あさ》った。そこに記された古今東西の伝承や民話の端々に真緒の残像のようなものがちらつき、僕は何度もコートの袖で顔を拭《ぬぐ》わなければならなかった。

気に入った本を三冊ほど選び、一階のレジで代金を支払う。本をバッグにしまう拍子に、もう一ヵ所立ち寄るべき場所があることを思い出した。

池袋駅に引き返し、改札ではなく隣接した百貨店のエスカレーターに向かう。この館内もクリスマス・オーナメントで飾り立てられていたが、恵比寿で感じたような憤《いきどお》りはもはや湧《わ》いてこなかった。

上階のレコード店には、かなりの音量でクリスマス・ソングが流されていた。洋楽のコーナーに向かい、「B」の棚を調べる。目的のCDはすぐに見つかった。

『ペット・サウンズ』　ザ・ビーチ・ボーイズ

真緒が僕に聴かせたかったという、「素敵じゃないか」が収録されたアルバムだ。緑を基調としたジャケットには、コートやベストを着込んだ五人の若者が写っている。

ポーズもとらずに動物園かどこかでヤギに餌《えさ》を与えているその光景は、真緒の言ったとおり「ビーチ・ボーイズはサーフィンだけ」という先入観を否定したものに見えた。

値段を確認するのももどかしく、僕は真緒が絶賛していたCDをキャッシャーに持っていった。

なんとはなしに高揚した気分で寄り道を終え、ようやく西武池袋線に乗った。窓の外を流れる夜景を眺めながら、「素敵じゃないか」を口ずさむ真緒の姿を思い出してみる。

気分がいいとき、楽しいとき、真緒は必ずといっていいほどあの曲をハミングした。気持ちよさそうに目を細め、やや調子っぱずれの裏声を発する。もっと気分がいいときは、コーラスや伴奏まで付け加えた。

こちらまでメロディを覚えてしまうほど、彼女はさまざまな場面で何度も歌っていた。だから、病院からの帰り道に語った「私、すごい幸せ者だね」という言葉はおそらく本音だったのだろう。それだけでも、僕にはうれしい。

前の電車がつかえているらしく、石神井公園駅を出発した準急電車はそれまでとは一転してゆっくりと夜の線路を走りはじめた。まるで、一秒でも早く部屋に戻って歌詞を読みたい僕を焦《じ》らしているようだった。

おかげで、大泉学園駅に到着したときにはもはや我慢しきれなくなっていた。ホームを吹き抜ける夜風は骨が凍るのではないかと思えるほど冷たかったが、かまわずベンチに腰を下ろす。プラスチックのベンチの冷たさに飛び上がりそうになるのをなんとか堪え、僕はバッグを開けた。

取り出したCDのフィルムをはがし、かじかむ手でブックレットを開く。このときになってようやく、僕は自分が輸入盤を買ったことに気づいた。対訳を読むつもりだったのだが、日本語はどこにも載っていない。失敗したと後悔しかけたが、歌詞をざっと眺めたところ難しい単語や言い回しは使われていない。これなら僕の英語力でもなんとか意味を把握できそうだ。

一行一行目で追いながら「素敵じゃないか」の歌詞を頭の中で訳していくうちに、寒さによるものとは別の震えが体に走りはじめた。

共に過ごす幸せなときの中
一つひとつのキスが果てしなく続いたらいいのに
素敵じゃないか
二人で思い描いたり、願ったり
望んだり、祈ったりすれば
叶《かな》うかもしれないね
そしたら僕たちにできないことなど

何ひとつなくなるよ
僕たちが結婚したらきっと幸せになれるはずさ
素敵じゃないか

声を抑えることはできなかった。小さなブックレットを手にしたまま、僕は人目も憚《はばか》らず嗚咽《おえつ》を漏らした。あとからやってきた通過電車に声はかき消されたが、それも数秒のことだった。夜のプラットホームで泣きじゃくるコートの男を、居合わせた駅員や乗降客たちが遠巻きに盗み見ていた。


風はいっそう冷たさを増していた。

この寒さではさすがに誰も出歩かないらしく、駅からの道は息を潜めたように静まり返っていた。

洟《はな》が出てきてしかたがない。

道々洟をかみ、涙を拭いながら僕はもの寂しい商店街を進み、すでにシャッターを下ろした団子屋の角を曲がった。

週末の買い物でここを通るときも、真緒は「僕たちが結婚したらきっと幸せになれるはずさ。素敵じゃないか」とハミングしていた。料理を作っているときも。ベランダの花に水をやっているときも。

断言できる。一緒にいられた時間は短かったが、僕たちは結婚して幸せだった。

税務署の前を通り過ぎると十字路が見えてきた。ここを折ればマンションはすぐそこだ。和室の陽だまりを気に入った真緒が「ここにする」と言って聞かなかった、僕たちの部屋。

書店で手に取った一冊に、心にひっかかる一文が載っていた。

人けのない角を曲がり、マンションを見上げながら、僕はその文章を頭の中で反芻《はんすう》した。

西洋のことわざには、『猫は九生を持つ』というものがあります。これは、高所から落ちても簡単には死なず、回復力も高い猫のしぶとさを昔の人が多生になぞらえたものといわれています。

九つの命。

夜の町を、生まれたままの姿で歩いていた少女。

　頭の中でそんな言葉を繰り返していた僕は、道の途中でふと立ち止まった。街灯の淡い光の下、白い息を吐きながらそっと呟《つぶや》く。

「真緒のは、いくつめだったのかな？」

「二つめだよ」

　耳をくすぐるような、甘い声。

　はっとして振り返ると、僕の足元に灰色の仔猫《こねこ》が一匹、茶色がかった目でこちらを見上げていた。

「真緒？」

　赤い口の中に小さな歯を覗《のぞ》かせ、仔猫は「にい」と答えた。銀杏《いちょう》公園で出会った、十三年前の日と同じように。

　仔猫の首からは何かキラキラしたものが下げられている。視界が滲《にじ》んでよく見えないが、短い後ろ足の間で引きずられているそれは、どうやら指輪らしい。

　洟を啜《すす》り、僕は足元の仔猫に問いかけた。

「真緒、お前、金魚のブライアン食ったろ」

　僕を見上げていた猫はひょいと視線を逸《そ》らし、まるで機嫌をとるようにこちらの足首に背中をこすりつけてきた。図星だったらしい。

三つめがあるということは、四つめ、五つめの命もあるのかもしれない。

銀杏公園での真緒の言葉を思い出す。

私は浩介が死ぬまでつきまとうつもりだよ。ほら、私って執念深いから。

「ほんとに、そのとおりだな」

僕はその場にひざまずき、仔猫を抱き上げた。柔らかさと温《ぬく》もりが、手のひらから全身へと広がってゆく。

小さな頭に頰ずりすると、三つめの命はもう一度、「にい」と鳴いた。

解説

瀧井朝世

もしも中学生の頃に淡い想《おも》いを寄せていた異性に再会したら？　その相手がとびきりステキな大人になっていたら？　しかも自分を慕ってくれているとしたら？　そりゃあもう、運命の相手だと思わずにはいられないだろう。

中学一年生の時に浩介のクラスに転校してきた真緒は、素直で愛らしい女の子だった。が、ほどなく、彼女が漢字も読めないくらい勉強ができないと発覚。「学年有数のバカ」と言われてイジメられている様子を見て、ある日耐え切れなくなった浩介は彼女をかばう。以来彼はクラスから浮いた存在とはなったが、真緒とは親交を深め、恋心を抱くようになる。しかし三年生になってから、今度は浩介が転校。二人の仲もそれきり途絶えていたが、社会人となって偶然再会する。しかも彼女は非常に聡明《そうめい》でおしゃれなモテ女子に大変身していたのだ。再び交流を持った彼らはたちまち恋人同士となり結婚まで意識しはじめるのだが、真緒の両親は交際に反対。実は彼女には、大きな秘密があったのだ……。

今これを読んでいる方は、ベタ甘な恋愛小説はお好きだろうか。好きであるならば、浩介本人も認める二人のバカップルぶりを、胸をキュンキュン高鳴らせながら楽しめるだろう。彼らに感情移入し、この幸福感を共有できるはずだ。正直なところを言うと、私はベタ甘はそれほど大好物というわけではない。それでもこの恋人同士の様子を微笑《ほほえ》ましく思いながらぐいぐい読み進めていったのは、主にみっつの理由があったからだ。

まずひとつめは、里子として育ち、幼少期の記憶がないという真緒の謎《なぞ》に対する興味。いったい過去に何があったのかという好奇心と同時に、謎が明らかになった時、彼らは幸せを維持できるのかどうか、不吉な予感を抱かずにはいられなかった。だから見守るような思いでページをめくることとなったのである。

ふたつめは、この若い男女が非常に魅力的であるということ。イジメられていた少女をかばうくらいの心根のよい浩介はもちろん、甘えん坊の真緒もどこか憎めないところがある。その素直さ、あまりの計算のなさは、女性読者からも好感をもたれるだろう。

みっつめは、この二人がただ恋に酔いしれているだけではなく、きちんと関係を育《はぐく》もうと努力している姿勢に感心したからだ。安易に互いを運命の相手だと思い込み「好きだ好きだ」と繰り返しているだけなら食傷気味になったと思う。でも、本書は都合のよいおとぎ話ではなく、彼らが試練を乗り越えていく様子、時にはぶつかって絆《きずな》を強めていく様子もちゃんと描かれているのだ。

例えば、真緒の父親に交際を反対された時。真緒が里子だったことは知っていた浩介だけれども、記憶がないとはじめて聞いて愕然《がくぜん》とする。素性の分からない人を愛せるのかどうか、試されることになるのだ。しかし彼は〈僕は真緒の経歴や名前を好きになったんじゃない〉と自分の愛情に確信を持つ。真緒は真緒なのだ、と。そんな彼の澄んだ心を非常に頼もしく思う。

もっとも印象的なのは、結婚後、真緒の行動に不審な点があることに気づく場面。彼女が引き出しの中に大金を隠していたと知り、浩介は帰宅した彼女を問いただす。それらしい理由を述べられても、疑念はぬぐえない。夫婦は気詰まりな状態なままベッドに入るが、そこで彼は怒鳴ったことを謝った上で、こう言う。

「お金のことだけどさ、どうしても必要ならおれに相談して。（略）ちゃんと話してくれれば冷静に聞けると思うから。いますぐ説明しろとは言わないけど、お互い落ち着いたら、な」

浩介、あなたは大人だよ……と感じ入ったところ、真緒もこう言うのだ。

「心配かけて、本当にごめんね。（略）でも、悪いこととか馬鹿《ばか》なことに使おうなんてほんとに思っていなかったから、それは信じて」

何か隠し事はあるに違いないが、相手を信じて厳しく追及しようとはしない優しい夫、事実は言えないなりに応《こた》えようとする誠実な妻。この会話だって甘いといえば甘いだろうが、本当にお互いを思いやっている様子が伝わってくる。彼らは恋だ愛だと浮かれているだけじゃない。ちゃんと、深い信頼に基づいた愛情関係できつく結ばれていくのだ。

じゃれあうなかでも、彼らは大人として成長していっている。そして実はこうしたベタ甘な会話の中に、伏線が多数ちりばめられているのだからあなどれない。

後半は幸福な生活に暗い影がさす。どんどん変化していく真緒の様子を心配しながらも、どうすることもできない浩介。悲しい結末への予感を抱きながら、やがて彼も読者も愕然とすることになる。

だけどすべてが明らかになった後、改めて思う。二人の間に、どれほど無垢《むく》な愛情があったことか。誰かを想うこと、誰かに想われることが、どれほど人の心の支えになることか。お互いに愛情を注ぎあえることは、どれほど奇跡的に幸福なことか。

若い夫婦の間にあった情愛だけではない。胸を突かれるのは、終盤で真緒の両親が登場するシーン。血のつながらない、どこの子かわからなかった女の子を、彼らが深い愛情を持って育てたこと、それがどんなに偽りのないものだったか、そしてその経験が、夫婦の心の支えになっていることがはっきりと示される様子には、涙を禁じえなかった。

すべてを知った上でもう一度読むと、改めてさまざまな伏線に気づく。と同時に、真緒がどれほど必死な思いで浩介に再び会いに来たのかが伝わってきて胸がしめつけられる。どういう結末が待っているのかすでに分かっているのに、やはり後半は再び泣いてしまう。読むほどに彼らの思いを強く噛《か》みしめる。そう、この本は繰り返し読むに値するのだ。

さて、ここからはネタバレになるので、できれば読了後にお読みください。

というのも、これはハッピーエンドなのか、アンハッピーエンドなのか、という問題について触れておきたいのだ。

とても可愛《かわい》らしい結末なので、温かい気持ちで読み終えた読者が多数だとは思う。特に、ある種の動物を愛する人にとっては、この結末はたまらないのではないだろうか。かくいう私もそこにカテゴライズされる者である。この文庫解説のために再読した時も、読み終えてすぐ、もしも自分にこんなことが起きたら……！　と想像して、潤《うる》んだ目で我が家のその動物を眺めた次第。私と同様の方は、この結末を決してバッドエンドとは受け取らなかったはず。

が、しかし。この作品を王道の恋愛小説として読んだ人は、必ずしも「よかったね」とは思えないのではないだろうか。「結局人間の妻を失ったんだから可哀相《かわいそう》」あるいは「浩介はこれでこの先再婚できるのか心配」と感じた人もいたのではないだろうか。

でも、きっと大丈夫。と、私は思う。

もちろん、彼の悲しみは底知れないものがあるだろう。妻がいなくなってしまったという事実は変わらない。でも、真緒の秘密をすべて知った上で、再び彼女が姿を変えて現れたと気づいた時の彼の言葉ったら。

「真緒、お前、金魚のブライアン食ったろ」

私はここで、ボロボロ泣きながらもプッと噴き出してしまった。そして瞬間的に感じたのだ。ああ、大丈夫、と。こんな姿になってしまって、と泣き出すわけでも、再び人間の君に会いたい、と感情をぶつけるわけでもない。浩介は真緒の正体を受け入れたのだ。だからきっと、この先この仔猫《こねこ》に（まあおそらくは過剰な）愛情を注ぎながらも、彼は新たな一歩を踏み出していけると思う。そう信じたい。

ベタ甘な恋愛小説と思わせておいて、おや、ミステリー要素もあるんだなと興味を掻《か》き立て、途中からは悲恋モノ？　と不安にさせながら、最終的にはファンタジーでもあったのだと発見させる。本当に読み手の心を振り回す小説である。だけれども、それがなんとも心地いい。さすがは気鋭のストーリーテラーである。

恋愛小説はあまり読まない、という人にこそ、自信をもってお薦めしたくなる。読了した方なら、そんな気持ちを分かってくださると思う。

（平成二十三年四月、フリーランスライター）

この作品は平成二十年四月新潮社より刊行された。

また、本文の中で引用したビーチ・ボーイズの楽曲「素敵じゃないか」（作詞：トニー・アッシャー／作曲：ブライアン・ウィルソン）の訳詞は、著者による。

伊坂幸太郎著　オーデュボンの祈り

卓越したイメージ喚起力、洒脱な会話、気の利いた警句、抑えようのない才気がほとばしる！　伝説のデビュー作、待望の文庫化！

伊坂幸太郎著　ラッシュライフ

未来を決めるのは、神の恩寵か、偶然の連鎖か。リンクして並走する4つの人生にバラバラ死体が乱入。巧緻な騙し絵のごとき物語。

伊坂幸太郎著　重力ピエロ

ルールは越えられるか、世界は変えられるか。未知の感動をたたえて、発表時より読書界を圧倒した記念碑的名作、待望の文庫化！

伊坂幸太郎著　フィッシュストーリー

売れないロックバンドの叫びが、時空を超えて奇蹟を呼ぶ。緻密な仕掛け、爽快なエンディング。伊坂マジック冴え渡る中篇4連打。

伊坂幸太郎著　砂漠

未熟さに悩み、過剰さを持て余し、それでも何かを求め、手探りで進もうとする青春時代。二度とない季節の光と闇を描く長編小説。

伊坂幸太郎著　ゴールデンスランバー
山本周五郎賞受賞
本屋大賞受賞

俺は犯人じゃない！　首相暗殺の濡れ衣をきせられ、巨大な陰謀に包囲された男。必死の逃走。スリル炸裂超弩級エンタテインメント。

三浦しをん著

格闘する者に○《まる》

漫画編集者になりたい――就職戦線で知る、世間の荒波と仰天の実態。妄想力全開で描く格闘の日々。才気あふれる小説デビュー作。

三浦しをん著

秘密の花園

それぞれに「秘めごと」を抱える三人の女子高生。「私」が求めたことは――痛みを知ってなお輝く強靭な魂を描く、記念碑的青春小説。

三浦しをん著

私が語りはじめた彼は

大学教授・村川融をめぐる女、男、妻、娘、息子……それぞれの「私」は彼に何を求めたのか。人間関係の危うさをあぶり出す、連作長編。

三浦しをん著

夢のような幸福

物語の萌芽にも似て脳内妄想はふくらむばかり。読書漫画映画旅行家族趣味嗜好――濃厚風味の日常エッセイは、癖になる味わいです。

三浦しをん著

風が強く吹いている

目指せ、箱根駅伝。風を感じながら、たすき繋いで、走り抜け！「速く」ではなく「強く」――純度100パーセントの疾走青春小説。

三浦しをん著

きみはポラリス

すべての恋愛は、普通じゃない――誰かを強く大切に思うとき放たれる、宇宙にただひとつの特別な光。最強の恋愛小説短編集。

誉田哲也著

アクセス

ホラーサスペンス大賞特別賞受賞

誰かを勧誘すればネットが無料で使えるという「2mb.net」。この奇妙なプロバイダに登録した高校生たちを、奇怪な事件が次々襲う。

本多孝好著

真夜中の五分前

five minutes to tomorrow (side-A・side-B)

双子の姉かすみが現れた日から、五分遅れの僕の世界は動き出した。クールで切なく怖ろしい、side-Aから始まる新感覚の恋愛小説。

道尾秀介著

向日葵の咲かない夏

終業式の日に自殺したはずのS君の声が聞こえる。「僕は殺されたんだ」。夏の冒険の結末は。最注目の新鋭作家が描く、新たな神話。

宮木あや子著

花宵道中

R−18文学賞受賞

あちきら、男に夢を見させるためだけに、生きておりんす——江戸末期の新吉原、叶わぬ恋に散る遊女たちを描いた、官能純愛絵巻。

石田衣良著

4TEEN【フォーティーン】

直木賞受賞

ぼくらはきっと空だって飛べる！　月島の街で成長する14歳の中学生4人組の、爽快でちょっと切ない青春ストーリー。直木賞受賞作。

阿川佐和子・角田光代・沢村凜・柴田よしき・谷村志穂・乃南アサ・松尾由美・三浦しをん著

最後の恋

—つまり、自分史上最高の恋。—

8人の女性作家が繰り広げる「最後の恋」をテーマにした競演。経験してきたすべての恋を肯定したくなるような珠玉のアンソロジー。

陽《ひ》だまりの彼女《かのじょ》

新潮文庫　こ－52－1

平成二十三年六月一日発行
平成二十五年十月六日四十五刷

著者　越《こし》谷《がや》オサム

発行者　佐藤隆信

発行所　株式会社　新潮社

郵便番号　一六二―八七一一
東京都新宿区矢来町七一
電話　編集部(〇三)三二六六―五四四〇
　　　読者係(〇三)三二六六―五一一一
http://www.shinchosha.co.jp

価格はカバーに表示してあります。

乱丁・落丁本は、ご面倒ですが小社読者係宛ご送付ください。送料小社負担にてお取替えいたします。

印刷・株式会社三秀舎　製本・株式会社植木製本所

ISBN978-4-10-135361-6 C0193